HANDBOEK
TOUR DE FRANCE
2013

Van Michael Boogerd en Maarten Scholten verscheen
eveneens bij uitgeverij Ambo

Handboek Tour de France 2012

MICHAEL BOOGERD &
MAARTEN SCHOLTEN

HANDBOEK
TOUR DE FRANCE
2013

Ambo|Amsterdam

ISBN 978 90 263 2661 5
© 2013 Michael Boogerd en Maarten Scholten
Deze uitgave kwam tot stand door bemiddeling van
House of Sports te Ouderkerk aan de Amstel
Omslagontwerp Studio Jan de Boer
Foto auteurs © Tessa Posthuma de Boer
Kaarten en klimprofielen © Typeline, Line Monrad-Hansen
Portretje Michael Boogerd © Marieke Ubbink

Verspreiding voor België:
Veen Bosch & Keuning uitgevers n.v., Antwerpen

INHOUD

WOORD VOORAF

Le Grand Départ op het eiland Corsica, twee keer in één etappe de Alpe d'Huez en de finish van de laatste etappe in 'Paris by Night': drie primeurs kent de honderdste editie van de Tour de France op voorhand. Ook de historie van de Tour krijgt een prominente plaats in deze editie. Op de Place de la Concorde staat op zondag 21 juli een speciale eretribune voor alle Tourrenners die ooit Parijs haalden. Van de 8339 uitrijders zijn er nog ruim tweeduizend in leven. Wie zullen zij in de gele leiderstrui de Champs-Élysées op zien draaien in de Tour van 2013? Alberto Contador en Christopher Froome lijken favoriet om Bradley Wiggins als winnaar op te volgen. Maar wie weet wat Wiggins zelf kan, Cadel Evans of toch nog Andy Schleck? En de Nederlandse troeven als Bauke Mollema, Wout Poels of Robert Gesink?

Genoeg om vol verwachting naar uit te kijken, vindt Michael Boogerd, zonder op deze plek voorbij te gaan aan het verleden. Van 1996 tot zijn afscheid in 2007 was 'Boogie' boegbeeld van het Nederlandse wielrennen, ook in de Tour. Dat is uitgerekend de periode waarover zoveel te doen is, na het vernietigende USADA-rapport over Lance Armstrong en het abrupte stoppen van Rabobank als sponsor van de grootste Nederlandse wielerploeg. Ook Boogerd lag in de media onder vuur, meer dan welke andere Nederlandse renner van zijn generatie. En privé was de winter toch al hectisch, met leuke en minder leuke gebeurtenissen in zijn directe omgeving.

Zijn bekentenis tegenover *NRC Handelsblad, De Telegraaf* en NOS in maart werd een nationale gebeurtenis. Terwijl Boogerd vertelde wat elke wielerinsider allang wist, of hoorde te weten. Ja, ook hij nam tijdens bepaalde periodes in zijn carrière het wondermiddel epo, cortisonen en hij onderging bloedtransfusies. Zoals dat in die periode gemeengoed was in het profpeloton. Zonder ging het niet, had hij zelf ervaren. 'Vanaf mijn dertiende stond alles in het teken van het fietsen.' Als junior en amateur hoorde hij tot de besten ter wereld. Maar bij de profs kwam hij er halverwege de jaren negentig niet aan te pas.

Elke koers opnieuw werden de jonge Nederlandse renners vernederd, door buitenlanders die massaal epo gebruikten. 'Patatgeneratie', oordeelden veel media. Nog harder trainen leidde slechts tot grotere frustraties. Bij het WK in 1995 in Colombia was Boogerd zelfs dicht bij een voortijdig einde van zijn wielercarrière. 'Ik stond na een halve ronde langs de kant. Toen zei ik tegen een journalist: "Ik overweeg om te stoppen, dit heeft gewoon geen nut." Ik deed er alles voor, echt alles, qua voeding, training en beleving. Maar ik kwam in die wereld niet aan de bak. Klaar. Ik had nog geluk dat ik voor een minimumsalaris kon tekenen bij Rabobank.'

In die nieuwe Nederlandse ploeg leefde hij in 1996 op, dankzij deskundige begeleiders en betere trainingsmethodes. Boogerd won een Touretappe in de regen naar Aix-les-Bains. Maar met die prachtige zege kwam ook de druk om het succes te bestendigen. 'Na de Tour heb ik geen platte prijs meer gereden. Echt kapot, ik kon gewoon niet meekomen. Toen ontstond er een soort angstgevoel.' Dat was ook de aanleiding om te zwichten, en vanaf 1997 mee te doen aan de op dat moment bestaande cultuur in het profwielrennen. 'Je hoort dat renners dat product nemen, epo. Dat het niet traceerbaar is en makkelijk te verkrijgen. Je herstelt er beter van en men verzekert je dat het niet schadelijk is voor je gezondheid. Dan moet je erg sterk in je schoenen staan, een echte moraalridder zijn, om te zeggen: "Nee, daar begin ik niet aan."'

Het voelde ook niet als bedrog, stelt hij achteraf, maar meer als iets dat erbij hoorde. En zonder epo was het in die tijd behoorlijk frustrerend om de Tour de France te rijden, zoals Boogerd meerdere malen ervoer. Zo werd de Raboploeg in de Tour van 1999 totaal in de vernieling gereden, omdat de ploegleiding besliste om het zonder medische begeleiding te doen. Met als gevolg ingrijpende fysieke en mentale problemen bij Boogerd en anderen. Medicatie met dopinggeduide middelen had destijds voor veel renners eerder te maken met gezondheid dan met bedrog. En bovendien: hoeveel verschil was er eigenlijk met vorige generaties? Joop Zoetemelk kreeg in 1976 tijdens de Tour bloedtransfusies en kon daar destijds gewoon openlijk over vertellen. 'Jopie' blijft een held voor altijd. En terecht, vindt Boogerd.

Anno 2013 is het klimaat geheel anders en staat 'schone wielersport' boven alles. Weg met de dopegebruikers van de vorige generatie, ruim baan voor de nieuwe lichting! Ook Boogerd hoopt natuurlijk dat zijn opvolgers in een beter klimaat dan hij hun sport kunnen bedrijven. 'Ik was zelf ook liever in een andere tijd prof geweest.' De wielersport lijkt de laatste jaren schoner geworden en dat is een goede zaak. 'Ik hoop dat mijn zoontje Mikai, als hij ooit gaat fietsen, misschien wel goed gaat fietsen en prof kan worden, nooit voor de keuze komt te staan die ik heb moeten maken.'

Maar overeind blijft dat ook in zijn tijd wielrennen zoveel meer was dan alleen maar doping. Ondanks de schaduwkanten blijft Boogerd daarom trots op zijn prestaties. 'Ik vind dat ik een goede sportman ben geweest.' Hij hoopt ook dat de wielerfans nog altijd geïnteresseerd zijn in zijn verhalen en zijn visie op het wielrennen. Vanaf zijn vierde jaar volgt hij die sport op de voet. Eerst met vader en broer voor de tv, later zelf in koers, tot twaalf Tourdeelnames aan toe. En tot op de dag van vandaag slaat hij liefst geen koers over. 'Wielrennen zal altijd mijn passie blijven.'

Passie spreekt volop uit de verhalen die hij in dit boekje vertelt als vooruitblik op de Tour de France van 2013. Met oog voor details die alleen een (ex-)renner ziet. Hoe ellendig zwaar die Tour is, als je na de finish boven op een berg in alle anonimiteit alleen op je fietsje tussen het publiek naar beneden moet en ondersteboven wordt gelopen. 'Lig jij daar tussen al die dolle mensen die nauwelijks oog voor je hebben.' Maar ook onvergetelijk mooie momenten van kameraadschap. 'Service, service,' riepen ploeggenoten Bram de Groot en Grischa Niermann tijdens een snikhete bergrit, als ze weer eens met acht bidons bij zich langs het peloton naar voren kwamen rijden. En dan ook nog met dat extra colaatje, waar je net trek in had.

Net als de editie van vorig jaar bevat dit *Handboek Tour de France 2013* vier delen. Eerst een uitgebreid etappeoverzicht, dan een deel over de favorieten voor de gele, de groene en de bolletjestrui, gevolgd door een overzicht van de deelnemende ploegen. En ten slotte een deel statistieken.

In de hoofdstukjes 'Boogerds blik' geeft Michael Boogerd zijn visie op de etappes en de favorieten. Met extra aandacht voor de Nederlandse renners, sprinttreintjes en berggeiten. Per etappe is er een aantal rubrieken. 'Facts & Figures' bevat allerlei wetenswaardigheden, van geldklassement tot de snelste klimtijden op de Mont Ventoux of Alpe d'Huez. 'Vive la France' gaat over Frankrijk, prachtig decor van de koers. 'Tourhistorie' spreekt voor zich. In 'Demarrage' graaft Michael Boogerd – of soms een andere renner – in zijn onuitputtelijke herinneringen aan de Tour. En in 'Wielertaal' legt hij uit hoe renners praten. Wat een 'molentje' is, of een 'duikboot'. Waar Boogerd zelf aan het woord komt, staat een portretje van hem afgebeeld.

Steeds opnieuw blijkt zijn respect voor de renners, die de zwaarste sportwedstrijd ter wereld al honderd edities kleur geven. 'Die Tour vergt drie weken lang niet alleen fysiek het uiterste, maar ook mentaal. Dag in, dag uit. Als renner zit je erin en doe je wat je moet doen. Dat is normaal. Maar als ik nu naar de Tour ga en ik loop 's ochtends langs die bussen, dan bekijk ik het toch anders. Ik kijk naar die jongens en denk: wat zien jullie eruit. Zo mager! Die gasten zijn helemaal uitgehold. En iedere keer moet je jezelf opladen om je toch weer in dat strijdgewoel te gooien. Daarom zijn ze toch een beetje apart, die profrenners.'

Zo was het vroeger, zo is het nu. Zie de renners lijden in het extreem koude voorjaar. Het is een keiharde sport, die altijd tot de verbeelding zal blijven spreken. Er zullen wat kanshebbers afvallen of bijkomen tussen het sluiten van de persen voor dit boek en de Tourstart op 29 juni op Corsica. Maar hopelijk biedt het *Handboek Tour de France 2013* de lezer weer net zoveel voorpret en informatie voor bij de televisie of voor mee op vakantie als de succesvolle editie van vorig jaar.

Maarten Scholten

ETAPPEOVERZICHT

ETAPPE	DATUM	AFSTAND	STARTPLAATS
Etappe 1	Zaterdag 29 juni	212 km	Porto-Vecchio
Etappe 2	Zondag 30 juni	154 km	Bastia
Etappe 3	Maandag 1 juli	145 km	Ajaccio
Etappe 4	Dinsdag 2 juli	25 km	Nice
Etappe 5	Woensdag 3 juli	219 km	Cagnes-sur-Mer
Etappe 6	Donderdag 4 juli	176 km	Aix-en-Provence
Etappe 7	Vrijdag 5 juli	205 km	Montpellier
Etappe 8	Zaterdag 6 juli	194 km	Castres
Etappe 9	Zondag 7 juli	165 km	Saint-Girons
Rustdag	Maandag 8 juli		
Etappe 10	Dinsdag 9 juli	193 km	Saint-Gildas-des-Bois
Etappe 11	Woensdag 10 juli	33 km	Avranches
Etappe 12	Donderdag 11 juli	218 km	Fougères
Etappe 13	Vrijdag 12 juli	173 km	Tours
Etappe 14	Zaterdag 13 juli	191 km	Saint-Pourçain-sur-Sioule
Etappe 15	Zondag 14 juli	242 km	Givors
Rustdag	Maandag 15 juli		
Etappe 16	Dinsdag 16 juli	168 km	Vaison-la-Romaine
Etappe 17	Woensdag 17 juli	32 km	Embrun
Etappe 18	Donderdag 18 juli	168 km	Gap
Etappe 19	Vrijdag 19 juli	204 km	Bourg-d'Oisans
Etappe 20	Zaterdag 20 juli	125 km	Annecy
Etappe 21	Zondag 21 juli	118 km	Château de Versailles

AANKOMSTPLAATS	TYPE	WINNAAR
Bastia	Vlak	
Ajaccio	Middelgebergte	
Calvi	Middelgebergte	
Nice	Ploegentijdrit	
Marseille	Vlak	
Montpellier	Vlak	
Albi	Vlak	
Ax 3 Domaines	Hooggebergte	
Bagnères-de-Bigorre	Hooggebergte	
Saint-Malo	Vlak	
Mont Saint-Michel	Tijdrit	
Tours	Vlak	
Saint-Amand-Montrond	Vlak	
Lyon	Vlak	
Mont Ventoux	Hooggebergte	
Gap	Middelgebergte	
Chorges	Tijdrit	
Alpe d'Huez	Hooggebergte	
Le Grand-Bornand	Hooggebergte	
Annecy Semnoz	Hooggebergte	
Parijs	Vlak	

PUNTENSCHEMA VOOR DE GROENE TRUI

RENNERS	1	2	3	4	5	6	7	8	9	10	11	12	13	14	15	16	17	18	19	20	21	TOTAAL
Boasson Hagen																						
Cavendish																						
Greipel																						
Degenkolb																						
Sagan																						

ETAPPES

ETAPPE 1 • Zaterdag 29 juni

Start Porto-Vecchio
Aankomst Bastia
Afstand 212 kilometer
Streek Corsica
Bijzonder Voor het eerst in honderd edities
   doet de Tour de France het eiland
   Corsica aan.

 **BOOGERDS BLIK**

Apart dat de honderdste editie van de Tour begint op een eiland. Geen traditionele start. In 2003, toen de Tour honderd jaar bestond, was het routeschema juist heel klassiek. Eerst een proloog in Parijs, Bradley McGee won daar toen omdat David Millar pech had. Daarna deden ze alle grote steden uit de Tourhistorie aan. Maar nu gelijk een paar dagen op Corsica. Daar zijn ze al die jaren nog nooit geweest.

Zelf heb ik zelden op een eiland gereden. Curaçao ja, en Sicilië, op het WK in 1994. Daarvan herinner ik me nog de slechte wegen. En het was er bloedverziekend heet. Dat zal op Corsica niet veel anders zijn. Het moet een lastig eiland zijn, als je ziet dat de klimmen dik boven de duizend meter gaan. En de wind kan op zo'n eiland ook een grote rol spelen. In het Critérium International komen ze de laatste jaren vaak op Corsica. Dan zie je meteen hoe lastig het is. Nooit een meter vlak, veel bochten, smalle wegen. Typisch Italiaanse taferelen. Ik heb wel een beetje angst voor valpartijen, met in het achterhoofd hoe groot de belangen in de Tour altijd zijn.

Het begint dit keer met een rit in lijn, geen proloog. Dat zal extra nerveus worden. Ik denk dat veel renners liever eerst een proloog hadden gezien. Ik vind ook dat het zo hoort. Zeker

17

omdat het de ritten hierna ook niet gemakkelijk zal zijn. Aan de andere kant: nerveus wordt het toch wel, proloog of niet. De laatste jaren zie je dat alle grote renners in de eerste week per se met al hun ploegmaats voorin willen rijden. Dat gaat nooit meer anders worden. De eerste week van de Tour is nerveus. Vlak, bergop, tijdrit, maakt niet uit.

Maar zo'n eerste rit in lijn is helemaal erg. Er is nog geen enkele schifting in het klassement, dat geeft sowieso onrust. Veel renners denken dat ze de rit kunnen winnen en dromen van het geel. Wat er dan kan gebeuren, zag je twee jaar geleden met al die valpartijen in de finale: Philippe Gilbert won op Mont des Alouettes, van de favorieten verspeelde Alberto Contador daar meteen serieus tijd. In 2008, toen er ook geen proloog was, won Alejandro Valverde in Plumelec op de Côte de Cadoudal. Beide keren was het een aankomst bergop, heel nerveus, met veel valpartijen.

Nu oogt de eerste rit vrij vlak, met kansen op een massasprint. Dat lijkt gevaarlijker, maar is het niet. Als de kans op een massasprint groot is, voelt het anders in het peloton. Dan is het sowieso al wat minder nerveus. Veel renners houden zich rustig omdat ze weten dat ze toch niet voor de overwinning rijden. En je hebt de regel dat je in de laatste drie kilometer geen tijdverlies kunt oplopen. Dus dan zie je meteen een gat vallen. Maar als de aankomst op een berg is, geldt die regel niet. Dan worden de klassementsrenners nerveuzer, blijven wringen, uit angst dat er bergop een gat valt en dat ze gelijk 30 seconden aan hun broek hebben. Als ze toch beginnen zonder proloog, dan maar een vlakke rit.

TOURHISTORIE • Reserve

Het is ongebruikelijk dat reserverenners slechts een paar uur voor de start in de Tour de France-ploeg komen. Maar het gebeurde in 2004, toen de proloog in Luik startte. Cofidis-renner Matt White had zich er jarenlang op verheugd eindelijk mee te mogen doen aan de belangrijkste wielerwedstrijd in de wielersport. Zoals alle andere renners besteedde hij de ochtend aan het verkennen van het proloogparcours.

Vier uur voor de start lag de renner uit Sydney geconcentreerd over het stuur gebogen, met vlinders in zijn buik. Eindelijk was de dag gekomen. En toen miste hij een bocht en reed vol tegen het hek dat langs het hele traject stond. Zijn hoofd kreeg een klap, maar het ergst was zijn schouder eraan toe. Zijn rechtersleutelbeen brak toen hij tegen het asfalt sloeg. Een beroepsletsel van een renner op het slechtst denkbare tijdstip.

De droom was kapot en Cofidis miste plotseling een man in de ploeg nu 'Whitey' eruit lag. De reserve was niet naar Luik gehaald; hij was een zogenaamde op afroep beschikbare reserve. Goede raad was duur. Cofidis heeft altijd een aantal Belgische renners in de ploeg gehad, zo ook in 2004. Wie van de niet-geselecteerde renners woonde het dichtst bij Luik? Dat was immers een logische vraag in deze verhitte situatie. Ja, Peter Farazijn woonde aan de rand van de stad. Dat werd de oplossing.

Het nadeel was dat hij samen met een stel goede vrienden op pad was om naar de Rally van Ieper te kijken, 200 kilometer verderop. Aangezien hij dat jaar niet in de selectie voor de Tour de France was opgenomen, zat hij midden in een rustiger periode met een beetje training en herstel voor de aanloop op de herfstritten. Hij was in opperbeste stemming en had al een paar biertjes op.

Toen Cofidis belde, nam hij niet meteen op. Er waren grenzen aan gestoord te worden. Het zat hem niet lekker dat hij niet tot de uitverkorenen behoorde, vooral ook omdat de wielerwedstrijd vlak bij zijn woonplaats van start ging. Maar toen zijn telefoon nog een keer driftig rinkelde, nam hij op, en hij kreeg de duidelijke boodschap onmiddellijk naar Luik te komen. Begeleid door een politie-escorte arriveerde hij 45 minuten voor de start bij het lanceerplatform. Hij trok een wielertenue aan en klom op een reservefiets.

Hoe het ging? Hij vormde geen bedreiging voor de winnende tijd van Fabian Cancellara, maar eindigde ook niet als laatste. Drie renners had hij achter zich toen de definitieve uitslag bekend werd gemaakt. Vijf jaar na zijn laatste Tour de France reed hij de resterende etappes net zo goed, en verrichtte onderweg goed werk voor zijn ploeg. Het is zeker dat de proloog de enige etappe was die hij met een promillage reed.

WIELERTAAL •
Magere mannetjes en blokken beton

Je hoort renners in dit soort ritten vaak praten: 'Die klote-klassementsrenners, die constant met hun hele ploeg van voren willen zitten.' Het is een feit, je kunt er niet meer omheen, het valt niet op te lossen. De nervositeit in het peloton is nu eenmaal groot. Het heeft ook alles te maken met gebrek aan respect voor elkaar en de angst om tijd te verliezen. Je kunt wel besluiten om van achteren te gaan rijden, maar als ze in het midden vallen, lig je zo 2 minuten achterop en verlies je de Tour. Dus zal niemand zomaar uit zichzelf van achteren gaan rijden. En je houdt altijd de valpartijen. Niets aan te doen.

De enige oplossing kan zijn om met kleinere ploegen te rijden, van zes of zeven renners. Dan krijg je wel een cultuuromslag, want dan zal er minder controle zijn van de ploegen van de sprinter- en klassementsrenners. Volgens mij kan het daardoor juist alleen maar attractiever worden. Nu zie je acht renners in een lijntje en in negende positie hangt de kopman. Vaak zo'n mager mannetje, dat meestal niet over de beste stuurvaardigheid beschikt. Dat geeft voor in het peloton vaak wrijving met de mannen die de sprint moeten voorbereiden. Dat zijn juist van die blokken beton. Minder renners per ploeg, betekent minder problemen.

FACTS & FIGURES • Mijlpalen

1869: James Moore wint de eerste wielerwedstrijd die tussen twee steden is gereden, Parijs-Rouen.

1902: Géo Lefèvre komt op het idee van de Tour de France.

1903: Op 1 juni begint de eerste Tour de France in de geschiedenis. Startplaats is Villeneuve-Saint-Georges, een voorstad van Parijs. Tijdstip van de start is 15.16 uur.

1905: De eerste berg wordt beklommen: Ballon d'Alsace, in het zuidelijk deel van de Vogezen.

1908: De wedstrijd om de 'meest aanvallende renner' wordt ingevoerd.

1910: De Pyreneeën worden in de Tour opgenomen, met de Col du Tourmalet.

1910: Adolphe Hélière is de eerste renner die tijdens de Tour overlijdt. Tijdens een rustdag ging hij zwemmen bij Nice, kwam in aanraking met een giftige kwal en verdronk.

1911: De Alpen worden in de Tour opgenomen, met de Col du Galibier.

1913: De Tour stapt over van een puntensysteem naar een tijdsysteem. De etappewinnaar krijgt één punt, de tweede twee enzovoort. De renner met in totaal de minste punten wint de Tour.

1919: De gele trui wordt in gebruik genomen. Voor het eerst is er een ravitailleringszone, een afgebakende zone waar de renners eten en drinken kunnen aannemen tijdens de etappe.

1926: Eerste keer dat de Tour buiten Parijs start, in Évian.

1927: Meeste etappes in de geschiedenis, 24.

1930: Landenploegen vervangen merkenploegen. De regel duurt tot 1962, dan nemen de merkenploegen het weer over.

1933: De bergbeklimmerswedstrijd wordt geïntroduceerd. Winnaar in het eerste jaar is Vicente Trueba uit Spanje.

1934: Eerste individuele tijdrit, 90 kilometer tussen La Roche-sur-Yon en Nantes.

1936: Eerste Nederlandse ritwinnaar, Theo Middelkamp in Grenoble.

1937: Het gebruik van fietsen met versnellingen wordt toegestaan.

1939: Eerste bergtijdrit, 64,5 kilometer van Bonneval-sur-Arc naar Bourg-Saint-Maurice.

1947: Eerste algemeenklassementswinnaar die de gele leiderstrui pas na de laatste etappe overneemt, de Fransman Jean Robic.

1949: Eerste winnaar van de Giro d'Italia én de Tour de France in hetzelfde jaar, de Italiaan Fausto Coppi.

1951: Wim van Est is de eerste Nederlandse geletruidrager.

1953: De groene trui, ook wel de sprint- of stresstrui genoemd, wordt geïntroduceerd. Tour de France wordt 50 jaar.

1954: Eerste keer dat de Tour buiten Frankrijk start, in Amsterdam.

1964: Jacques Anquetil wint zijn vijfde Tour de France. Jan Janssen is de eerste Nederlandse winnaar van de groene trui.

1966: De eerste dopingcontrole wordt uitgevoerd, in Bordeaux.

1967: Eerste proloog, in Angers, een parcours van 5,7 kilometer.

1968: Jan Janssen wint als eerste Nederlander de Tour de France.

1969: Merkenploegen worden de enige ploegen die mogen deelnemen.

1975: Eerste jaar met finish op de Champs-Élysées. De eerste keer dat de bolletjestrui en de witte trui worden uitgereikt.

1980: Joop Zoetemelk wint als tweede Nederlander de Tour de France.

1986: Recordaantal renners aan de start: 210.

1988: Tour Village wordt geïntroduceerd, een VIP-gebied vlak bij de startplaats van de etappe, waar de sponsor zijn stand heeft en waar renners, journalisten en genodigden kunnen ontspannen met een hapje en een drankje voordat de rit begint. Steven Rooks is de eerste Nederlandse winnaar van de bergtrui.

1989: Kleinste overwinningsmarge, van 8 seconden, door Greg LeMond.

1998: Rood startnummer wordt ingevoerd voor de meest aanvallende renner.

2003: Helm verplicht.

2005: Lance Armstrong wint zijn zevende Tour de France.

2011: De eerste Australiër wint de Tour de France, Cadel Evans.

2012: De eerste Brit wint de Tour de France, Bradley Wiggins.

ETAPPE 2 • Zondag 30 juni

Start Bastia
Aankomst Ajaccio
Afstand 154 kilometer
Streek Corsica
Bijzonder Finish in de geboorteplaats
van Napoleon.

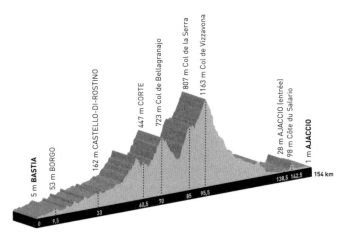

BOOGERDS BLIK

Een kort ritje, maar 154 kilometer. Ze moeten meteen een col
over, dan een lange afdaling en aan het eind een lastige finale
op geaccidenteerd terrein. Deze tweede rit is heel gevaarlijk.
Misschien willen de sprinters wel huis gaan houden in de eerste ritten, maar ik moet dat nog zien. In dit soort ritjes moet
je volgens mij vooral kijken naar een Peter Sagan of een Philippe Gilbert. De mannen met de uitzonderlijke klasse.

Zelfs de klassementsrenners moeten in hun voorbereiding

rekening houden met deze lastige eerste dagen. Een rit als deze is zeker niet onoverkomelijk; er zit niet ineens een klim van de buitencategorie in. Een renner die nog even iets minder is, wordt in het middelgebergte niet zomaar gelost. Maar het kan wel gebeuren dat een renner die op het einde van de Tour heel goed blijkt te zijn, juist in die eerste ritten kostbare tijd blijkt te hebben verloren. Dat maakt een rit als deze gevaarlijk.

In 2002 was ik ook niet goed in het begin van de Tour; ik moest er echt in groeien. Toch werd ik nog twaalfde, dankzij een ontsnapping naar Béziers toen Millar won, en die ritzege op La Plagne. Zo kwam ik nog wat terug in het klassement. Achteraf ga je evalueren en kijken waar je had kunnen staan zonder tijdverlies in het begin. Dat is ook wel gevaarlijk van zulke lastige ritten in de eerste dagen: dat er al jongens aan een inhaalrace moeten gaan beginnen.

De echte klassementsmannen kunnen er beter rekening mee houden dat ze in het begin van deze Tour met een scherp moeten zijn. Dat vergt een wat andere voorbereiding. Zo was ik zelf in 2007 bijvoorbeeld nog niet goed bij de Tourstart. Ik kwam slecht uit Zwitserland, het NK was al ietsje beter. Maar het duurde die Tour vrij lang tot we de bergen in gingen. Daar hield je rekening mee. Ik weet nog dat mijn ploegleider Erik Breukink voor het NK zei: 'Zou je dit jaar de Tour niet laten schieten?' Maar ik wist dat ik nog tijd had. Dat heb je nu niet. Je moet zorgen dat je gelijk goed bent. Dat is wel een uitdaging voor de klassementsmannen.

VIVE LA FRANCE • Napoleon

Napoleon werd geboren in de stad Ajaccio op 15 augustus 1769 als 'Napoleone di Buonaparte'. In 1804 riep hij zichzelf in navolging van Karel de Grote uit tot keizer van Frankrijk. Zijn juridische hervorming, de Code Napoléon, had een grote en blijvende invloed op het recht in vele landen, waaronder Nederland en België. Het huis in Ajaccio waar Napoleon geboren is, Maison Bonaparte, is nog steeds te bezoeken.

TOURHISTORIE • De media

Het grootste sportevenement ter wereld, de Tour de France, is er altijd in geslaagd zich aan nieuwe omstandigheden aan te passen. De ingrijpendste verandering was de overgang van een jaarlijks terugkerende journalistieke gebeurtenis voor de schrijvende pers naar een evenement dat geschikt werd voor – en uiteindelijk gefinancierd door en eigendom van – de televisie. Tegelijkertijd veranderde de ronde van een landenwedstrijd naar een steeds grotere en attractievere etalage voor de nieuwe sponsorploegen. Nadat de Franse politiek radio en tv vanaf de jaren tachtig dereguleerde, werd de Tour een steeds machtigere reclamemachine. In 1986 was de Tour de France het grootste jaarlijks terugkerende sportevenement voor tv-kijkers geworden; alleen de Olympische Zomerspelen en het WK Voetbal waren groter.

De media hebben de Tour de France van het begin af aan in handen gehad en georganiseerd, eerst het dagblad *L'Auto*, toen, in een samenwerkingsverband, *L'Équipe* en *Le Parisien Libéré*, en in 1985 kocht tv-zender France 2 de exclusieve rechten om de ronde direct uit te zenden. Tegenwoordig is Amaury Sport Organisation (ASO) eigenaar en organisator van de Tour de France. De verschillende directeurs van de Tour de France hebben dezelfde achtergrond. Henri Desgrange, Jacques Goddet en Jean-Marie Leblanc waren krantenjournalisten en -redacteurs. Ook de huidige Tourdirecteur, Christian Prudhomme, heeft een verleden bij de televisie.

De televisie is ook doorslaggevend geweest voor de internationalisering die de Tour de France heeft doorgemaakt. Vooral vanaf de jaren tachtig kwamen er nieuwe landen bij, die langzaamaan hun eigen fietstalenten kregen en weer nieuwe landen interesseerden voor het wielrennen. In 1986 werd de Amerikaan Greg LeMond de eerste niet-Europese Tourwinnaar. De zege van LeMond gaf aan dat nieuwe landen snel van zich lieten spreken. Het eindklassement in 1985 toonde al een verscheidenheid aan nieuwe nationaliteiten: Colombia, de Verenigde Staten, Australië, Canada, Ierland en Groot-Brittannië stonden alle bij de eerste vijftien. Intussen kunnen we vele verschillende landen toevoegen die met hun renners en ploegen een stempel drukken op de ronde: Rusland, Kazachstan, Oekraïne, Tsjechië, Polen, de Baltische landen, Slovenië, Japan, Nieuw-Zeeland, Zuid-Afrika en de Scandinavische landen.

FACTS & FIGURES • Media 2012

560 verschillende media

100 televisiezenders

55 internetsites

190 landen met tv-uitzending

60 landen met directe tv-uitzendingen

4.700 uur tv-coverage

11,5 miljoen unieke bezoekers op www.letour.com

2000 journalisten uit 35 landen

72 radiostations

240 fotografen

450 schrijvende journalisten, voor 350 kranten/tijdschriften

ETAPPE 3 • Maandag 1 juli

Start Ajaccio
Aankomst Calvi
Afstand 145 kilometer
Streek Corsica
Bijzonder Vijf klimmetjes, laatste op
13 kilometer voor de finish.

BOOGERDS BLIK

Nog korter dan gisteren, 145 kilometer. Maar dit parcours is gewoon Luik-Bastenaken-Luikachtig. Ook dit gaat weer een nerveuze en zeker harde rit worden. De aanvallers hebben in deze Tour meteen kans. Vijf klimmetjes. Wie goed in vorm is, gaat echt niet wachten. Dan kun je oorlog krijgen in dit soort ritten. Wel leuk. Je krijgt dan ook direct goede renners die gaan winnen en het geel gaan pakken. Een heel ander begin van de Tour. Voor hetzelfde geld krijg je zoiets als in 2011 met Thomas Voeckler, die in het begin geel pakt, goed bergop kan rijden en daardoor heel lang voorin blijft meedoen.

Het wordt op Corsica volgens mij niet zomaar voor de Cavendishen, de Greipels of de Kittels. Integendeel, voor die mannen kan het eiland best vervelend worden. Als ze omhoog rijden en het gaat hard, dan gaan die pure sprinters het niet overleven. Dag sprint. Mijn gevoel zegt dat de sprinters met weinig goeds van het eiland af zullen komen.

Edvald Boasson Hagen, die kan het wel, bergop mee en ook nog rap aankomen. Peter Sagan natuurlijk, Philippe Gilbert, die mannen. Er is hier al veel te verliezen voor hun kopmannen, dus zal het nerveus zijn en moeten ze sowieso goed voorin blijven. Als Christopher Froome geen tijd wil verliezen, moet Boasson Hagen zich met hem voorin nestelen en niet te veel laten lopen. Voor de Noor zelf kan dat gunstig uitpakken als het ergens breekt. Dan is hij meteen een pak sprinters kwijt. Sagan was het afgelopen jaar natuurlijk subliem in de Tour. Als hij dat weer kan doen, gaan we hem zeker zien op Corsica.

FACTS & FIGURES • Teamsport

Wielrennen is een teamsport, als geen andere. Je wint geen Tour de France of een andere grote wielerwedstrijd zonder goede renners om je heen, die bereid zijn alles te ge-

VIVE LA FRANCE • Corsica

De Tour de France was nooit eerder op Corsica, het wielerpeloton wel. In Parijs-Nice van 1964 kwam Jan Janssen ten val in een tijdrit op het eiland; Raymond Poulidor won. Twee jaar later won Michele Dancelli er een etappe in de 'Rit naar de Zon' en stond 'Poupou' opnieuw in de leiderstrui, die hij later in Nice zou verspelen aan eindwinnaar Jacques Anquetil. In de jaren tachtig was er de Tour de Corse, 'de ronde van de 10.000 bochten', met op de erelijst Gilbert Duclos-Lassalle (1980), Stephen Roche (1981) en Bernard Hinault (1982). Sinds 2010 is Corsica decor voor de tweedaagse rittenkoers Critérium International, georganiseerd door Tourorganisator ASO. De eerste editie op het eiland werd gewonnen door Pierrick Fédrigo, in 2011 ging de zege naar Fränk Schleck en vorig jaar was Cadel Evans eindwinnaar.

ven voor het succes van de leider van de ploeg. De belangrijke wielerploegen hebben elk een stal van vijfentwintig tot dertig renners, van wie er negen de grootste wielerwedstrijd van het jaar mogen rijden – de Tour de France. Team Sky is een van de beste ploegen; de negen renners van dit team die op Corsica aan de start komen, behoren allemaal tot de besten van de wereld op hun terrein.

De Noor Edvald Boasson Hagen is een van de negen uitverkorenen. Vanaf de tijd dat hij bij de junioren reed, hebben de grote ploegen hem nauwgezet gevolgd omdat ze hem graag wilden contracteren. Dave Brailsford, de ploegleider van Team Sky, ontdekte hem in de jongerenklasse toen Edvald voor een samengestelde ploeg een wedstrijd in Groot-Brittannië reed. Maar het duurde een tijd voordat Sky werkelijkheid werd, en in de tussentijd was Edvald profrijp geworden. Het was een slimme keuze om zijn carrière te beginnen bij HTC-Columbia. Een goedlopende ploeg met gretige jonge jongens, de wieler-ploeg die de meeste overwinningen ter wereld behaalde – zonder het grootste budget te hebben. Een goede school voor Edvald, tot het moment dat Team Sky klaar was voor lancering.

Edvald heeft bijzondere kwaliteiten, maar blinkt niet speciaal uit op een bepaald gebied. Hier ligt de uitdaging in verband met de Tour de France. Het belangrijkst voor het team is het succes in het algemeen klassement. Het was voor Brailsford een droom, en een duidelijk uitgesproken doel, om voor 2015 een Britse renner in het shirt van Team Sky op het podium in de Tour de France te hebben staan. Dat was prioriteit nummer één, al het andere was van ondergeschikt belang. En al in 2012 werd het doel op schitterende wijze gehaald: Bradley Wiggins won als eerste Brit ooit de Tour de France, Chris Froome eindigde als tweede.

Maar de ploeg moest niet alleen werken voor de klassementsrenners. Wereldkampioen Mark Cavendish wilde steun van ploeggenoten om etappes te winnen. Ook dat doel werd gehaald: drie ritzeges. Maar voor Edvald betekende het dat hij vol-

VIVE LA FRANCE • GR20

Corsica is bijzonder bergachtig; de twee hoogste punten zijn de Monte Cinto (2706 m) en de Monte Rotondo (2622 m). Karakteristiek is de begroeiing met maquis, een kruidachtig struikgewas. Het natuurreservaat Scandola en de Calanches de Piana staan op de UNESCO-erfgoedlijst. De wereldberoemde wandeling GR20 loopt van zuidoost naar noordwest dwars door het Parc Naturel Régional de Corse en bestaat uit vijftien etappes van gemiddeld tien kilometer. Je klimt over rotsen naar de top van de Monte Incudine (2134 m) voor waanzinnige uitzichten op de kustlijn van Corsica en de haarscherpe rotspunten van de Aiguilles de Bavella. Een hoogtepunt is de doorsteek over het Plateau de Coscione, de grootste hoogvlakte van Corsica. De mythische GR20 is niet voor iedereen weggelegd. Alleen als je van klauteren houdt en een beetje afzien niet erg vindt, kun je genieten van de bijzondere sfeer rond de hoogste toppen van het 'Île de Beauté'.

ledig in de strategie van de ploeg zat opgesloten. Hij is sterk als een beer en is daarmee een knecht van onschatbare waarde. Hij is een goede sprinter en een ideale gangmaker voor een nog betere sprinter als Cavendish. En daarnaast moest hij in de bergritten werken voor Wiggins en Froome. Zo is de wielersport, zoals andere teamsporten. Je zit in de ploeg om anderen in de ploeg goed te laten presteren.

Dus kon 'de grote zoon van Rudsbygd' zijn twee ritzeges van 2011 niet evenaren. Maar hij werd wel de zoveelste Noor die een Tour de France-winnaar aan zijn succes heeft geholpen (Greg LeMond), zoals Atle Kvålsvoll (ook Greg LeMond), Steffen Kjærgaard (Lance Armstrong) en Kurt-Asle Arvesen (Carlos Sastre). En manager Brailsford zal hebben beseft dat het wedden op twee paarden de ondergang van Sky kon worden. Want hij liet Cavendish vertrekken naar Omega Pharma-Quick Step. Zodat de Noren mogen hopen dat Edvald dit keer wel kan aanknopen bij zijn persoonlijke successen uit 2011.

ETAPPE 4 • Dinsdag 2 juli

Start Nice
Aankomst Nice
Afstand 25 kilometer (individuele tijdrit)
Streek Provence-Alpes-Côte d'Azur
Bijzonder In 1981 won de legendarische
  Raleigh-ploeg van Peter Post de
  ploegentijdrit in Nice.

 BOOGERDS BLIK

Een transfer na drie dagen, van Corsica naar Nice, daar zit je als renner niet op te wachten. En dan ook nog meteen een korte, nerveuze ploegentijdrit. Moet ik meteen denken aan vier jaar geleden, toen de Astana-ploeg met Armstrong toch weer won in een ploegentijdritje van 38 kilometer rond Montpellier. Zoveel ploegen hadden toen kleine ongelukjes. Valpartijen, lek.

Sky is natuurlijk de torenhoge favoriet, die gaat hier waarschijnlijk een eerste klapje uitdelen aan de concurrentie. Ze hebben genoeg hardrijders en de beste twee tijdrijders uit de Tour van vorig jaar: Wiggins en Froome. Contador en Andy Schleck hebben niet echt een ploeg voor dit werk. Nibali zal bij Astana wel wat beter omringd zijn. BMC heeft een aardige ploeg. Evans is wat op de weg terug, maar jongens als Phinney en Van Garderen zijn ijzersterk in dit werk. Garmin ga je zeker zien. Quick Step is dan wel wereldkampioen op dit onderdeel, maar zal deze Tour alle kaarten zetten op de sprints van Cavendish. Maar met een paar hardrijders kunnen ze kort rijden. Ik verwacht hier Sky, BMC en in mindere mate Garmin.

Spectaculaire tijdsverschillen zullen er niet zijn op zo'n korte afstand. Toch kun je wel een serieus klappie krijgen als klassementsrenner. Twintig tot dertig seconden verliezen, dat kan zomaar. En iedere seconde telt in de Tour. Dus zullen de echte topploegen nerveus zijn.

WIELERTAAL • Molentje

De ploegentijdrit is een van de zwaarste onderdelen. Je rijdt constant met je hol open, gaat volledig op een hoop. Je hebt altijd een paar goede renners in een ploeg, die het meeste werk doen. Dat betekent niet het hardst op kop rijden, maar de langste beurten maken. Goed tempo erin houden en de rust in de ploeg bewaren. Op een geaccidenteerd terrein is dat lastig. Het betekent dat je lange beurten bergop moet doen.

Ze zeggen wel dat de mindere renners het meest moeten afzien. Maar volgens mij zien de beste renners juist het meest af. Rasmussen won in 2005 al snel een rit, dus hij moest wel goed in orde zijn. Maar hij heeft in de hele ploegentijdrit geen meter op kop gereden. Dus zie je ook niet af. Hij wist: als ik op kop kom, word ik er daarna af geschoten. Dus stak hij zich lekker weg.

Marc Wauters en Erik Dekker waren bij ons bijna altijd goed in de ploegentijdrit. Die mannen zaten de hele tijd af te zien op kop, kwam er in de finale op een klimmetje wel eens iemand voorbijrijden die nog niet al te veel werk had gedaan. Zo van: ik ben nog fris, ik zal eens even doortrekken. Nou, dan waren de 'godvers' niet van de lucht. In de ploegentijdrit wordt heel veel op elkaar gescholden. Zeker als het niet helemaal lekker loopt. Dan scheld je elkaar verrot.

Je hebt in de regel twee manieren om een ploegentijdrit te rijden: lange beurten op kop of snel overnemen. Dat laatste, in een molentje, is heel nerveus. Je kan het alleen doen als je er goed op hebt getraind en als je gelijkwaardige mannen hebt. Want als er maar eentje iets te hard doortrekt, rijdt hij heel het molentje om zeep.

Lange beurten geeft wat meer rust in een ploegentijdrit. Zelf vond ik dat fijner, behalve als er heel veel wind stond. Deze ploegentijdrit is maar 25 kilometer, dat is helemaal erg. Je moet dus vol vertrekken. Als je net even niet goed bent in de start, heb je het zitten. Of als je net een langere beurt hebt gemaakt, en er komt een rotmoment. Daarom is parcourskennis ook zo belangrijk in een ploegentijdrit.

Je kunt je in één keer helemaal over de kop rijden. Stel, je maakt een goede beurt van 400, 500 meter. Kom je met maximale hartslag van kop, draai je een bocht om en daar wacht een bergje. De anderen trekken vol door en jij zit in laatste positie. Dan kan het in honderd meter met je gebeurd zijn. Ook al was je tot dan toe de beste. Dat is behoorlijk 'frustie'.

Communicatie is heel belangrijk. Je komt van kop af, laat even de weerstand van je benen wegvloeien en sluit in het laatste wiel aan. Maar wat is achteraan? Rustig omkijken is er met die hoge snelheden niet bij. Dus tel je de renners terwijl je je laat zakken. Je weet achter wie je rijdt. Dus als je die voorbij ziet komen, weet je dat je moet gaan aanzetten om het wiel te pakken. Maar soms slaan renners een beurt over en wisselt de volgorde. Dan moet er altijd gewaarschuwd worden. 'Posthuma slaat over,' hoorde je vanuit het midden roepen. Dan wist je dat je na de zesde in plaats van de zevende man moest 'inpikken'. Soms zaten ze zo kapot dat je bergop al in vierde positie moest aansluiten als je van kop af kwam. Werd je niet vrolijk van.

De angst is altijd dat je er in het begin wordt afgereden en dat je niet op tijd binnenkomt. Zoals Bert Pronk in 1980, die na de eerste rit naar huis kon. Het zijn rotdagen. Je moet goed inrijden, afspraken maken op wie je wel of niet wacht onderweg. Onderweg besliste in mijn tijd de kapitein. Met de oortjes zal het nu wel in de auto worden beslist. Al voelt een renner beter aan wie er goed rijdt. Wachten of doorrijden? In a split second moet je beslissen. Toch wel een mooi onderdeel, mooi om naar te kijken.

DEMARRAGE • Raleigh

Raleigh won hier in Nice in 1981; ze wonnen de ploegentijdrit in mijn beleving altijd. Ik was een jochie van negen, Joop had het jaar ervoor net de Tour gewonnen. Dan kom je bij mijn eerste Tourherinneringen. Je zat thuis voor de televisie, buiten was het altijd warm, ook in Nederland. Tegenwoordig zit je vaak met een bontkraag op. Dan zag je heroïsche gevechten in de hitte, renners die water over zichzelf gooiden. En de ploeg van Peter Post stond garant voor Nederlandse successen.

Je had toen vaak ploegentijdritten van een serieuze afstand. Voor Raleigh was dat onderdeel heilig; ze moesten en zouden altijd winnen. Ze hadden aan het begin van de Tour ook veel truien in de ploeg. Mooi gezicht. Ik herinner me die gele en groene petjes, achterstevoren op het hoofd. Raas, Knetemann, Van der Velde, Lubberding, Oosterbosch, Kuiper, Zoetemelk, Winnen. Zo hoorde dat gewoon, die ploeg had altijd die petjes en won.

De ploegentijdrit is er heel lang uit geweest, tot het tijdperk-Armstrong. Met de Rabo-ploeg kwamen wij er nooit echt aan te pas in die tijd. We hebben in 2000 en 2001 een fatsoenlijke prestatie afgeleverd, ik geloof vijfde en zesde. Soms kon je het je gewoon niet voorstellen dat die andere ploegen zo hard reden. In 2005 was het een vlakke ploegentijdrit, we reden zo hard, constant zestig aan het uur. Verloren we nog 3 minuten. Hoe kon dat?

DEMARRAGE • Freddy

In 1981 had je in Nice ook de grote comeback van Freddy Maertens. Hij was jaren weg uit de top en won toen ineens weer heel verrassend de eerste Tourrit. En daarna nog vier etappes en het puntenklassement. Stond hij in dat groene truitje altijd met z'n bek te trekken op het podium. Wij deden Freddy thuis altijd na. Echt een legende. Het wielrennen was toen heel anders. Alles voor één, nauwelijks aanvallen in het begin tot in de finale de kopmannen kwamen. Werken voor de kopman, poten stilhouden als die aanviel. Heel andere hiërarchie dan nu, maar mij sprak het wel aan. Ik koerste het liefst ook zo.

ETAPPE 5 • Woensdag 3 juli

Start Cagnes-sur-Mer
Aankomst Marseille
Afstand 219 kilometer
Streek Provence-Alpes-Côte d'Azur
Bijzonder Marseille is in 2013 culturele hoofd-
stad van Europa.

BOOGERDS BLIK

Aankomst in Marseille, een vrij lange rit met een klassieke finale. De Gineste was al vaker het laatste klimmetje voor Marseille. In 2003 zat Bram de Groot mee, met de Deen Jakob Piil
en de Italiaan Fabio Sacchi. Dat was toen echt zo'n tussenrit,
pas veel later in de Tour. Net als in 2007, toen de Fransman
Cédric Vasseur won in Marseille. Je had in die ritten de beslissende schiftingen ook al eerder gehad. Dat zal nu zo vroeg in
de Tour niet zo zijn, en die klim zelf is niet zwaar genoeg voor
de aanvallers. Dit gaat een massasprint worden.

Omega Pharma-Quick Step van de ervaren manager Patrick Lefevere zal met een goede ploeg rond sprinter Cavendish naar de Tour trekken. Dat kun je wel aan hem overlaten.
Sylvain Chavanel zal er misschien niet zo blij mee zijn, maar
dat hoeft elkaar niet te bijten. Ik blijf op het standpunt dat je
er de hele Tour van kunt profiteren wanneer je als ploeg meteen lekker in de schwung zit. Als Cavendish snel een paar ritten wint, kan Chavanel later in de Tour juist frank en vrij in de
aanval gaan.

Ik zou het daarom ook leuk vinden als Niki Terpstra bij
Omega Pharma-Quick Step toch weer de Tour rijdt. Niki heeft
in 2011 gezegd dat hij er als aanvaller niets meer te zoeken heeft,
door de overmacht van de sprintersploegen. Nu is hij zelf lid

van de sterkste sprintersploeg. Maar dat kan juist in zijn voordeel werken. Terpstra kan in het begin van de Tour heel nuttig zijn voor Cavendish, omdat hij schofterig hard kan fietsen.
Hetzelfde geldt voor Chavanel en zelfs Tom Boonen. Ze kunnen een serieus ploegje afvaardigen. Voor de sprint, maar ook met jongens die later in de Tour voor hun eigen kans mogen gaan als er wat meer schifting is gekomen. Dat kan in het voordeel zijn van Terpstra.

VIVE LA FRANCE • Renoir

Pierre-Auguste Renoir werd op 25 februari 1841 geboren in Limoges en stierf op 3 december 1919 in Cagnes-sur-Mer, vandaag startplaats voor het Tourpeloton voor de vijfde etappe. Hij was een Frans impressionistisch kunstschilder. Zijn laatste woonhuis in Cagnes is thans het Museé Renoir. Het staat in een enorme tuin met prachtige olijfbomen.

FACTS & FIGURES • Vallen

'Wielrennen gaat over het vermijden van valpartijen,' zei de Britse renner Geraint Thomas, na een dramatische openingsweek in de Tour de France van 2011, waarin door talloze vreselijke valpartijen veel renners de koers moesten verlaten. Het was meer een verzuchting dan een reële wens van de kant van Geraint Thomas – botsingen en harde ontmoetingen met het asfalt zijn een deel van deze sport. Dat weet iedereen. Zie hoe in de vorige Tour alle Nederlandse klassementsrenners – Robert Gesink, Bauke Mollema en Wout Poels – op de dag voor de eerste bergrit tegen het asfalt sloegen in een massale valpartij. En de tv-beelden tonen lang niet alle renners die onderweg in een etappe op de grond liggen. Meestal loopt het goed af en stappen de renners weer op de fiets met een paar schrammen of wat 'asfalteczeem'.

Elke renner valt gedurende een Tour gemiddeld drie keer, schrijft de Australische journalist Rupert Guinness in zijn boek *What a Ride*, waarin hij de Australische deelnemers aan de Tour volgt, vanaf Phil Anderson in de jaren tachtig. We weten niet of Guinness bewijs heeft voor zijn statistiek. Een van de Australische renners uit de jaren negentig, Neil Stephens, vertelt in het boek: 'Als je weer rechtop staat, voel je eerst of je niets hebt gebroken. Zonder na te denken controleer je of je fiets nog werkt, en stap je zo snel je kunt weer op. Als je dan aansluiting hebt met het peloton, check je of er niets ernstigs aan de hand is. Maar het allerbelangrijkste is om weer zo snel mogelijk op de fiets te zitten en zo hard mogelijk te rijden, niet om stil te staan en jezelf te inspecteren.'

Misschien geen stelregel die elke medicus zal toejuichen, maar Stephens' woorden weerspiegelen wel de hardheid die in de loop der jaren bezit heeft genomen van de Tour.

In de gelederen van de profrenners zijn het vooral de jongeren die het meest onbevreesd zijn en daarom gemakkelijk betrokken raken bij ernstige valpartijen. Met de jaren hebben de meesten de neiging voorzichtiger te worden; vaak treedt er een mentaliteitsverandering op als de renners een vrouw en kinderen krijgen.

De ernstigste blessure is vooral het hoofdletsel, ook wel traumatisch hersenletsel genoemd. Een van de ernstigste voorbeelden in 2011 was de Colombiaan Mauricio Soler, die in de zevende etappe van de Ronde van Zwitserland tijdens een afdaling met 80 km/u een toeschouwer raakte en tegen een hek werd geslingerd. Soler liep een schedelbreuk op met een zogeheten cerebraal oedeem, en moest in coma worden gehouden. Na een zware revalidatie kwam hij in redelijke gesteldheid terug. Maar tijdens de vorige Tour moest de winnaar van de bergtrui 2007 bekendmaken dat zijn wielercarrière voorbij was.

De Amerikaan Saul Raisin, die aan het begin van 2000 voor Crédit Agricole fietste, kende een miraculeus herstel van vergelijkbaar hoofdletsel, nadat hij lange tijd in coma had gelegen. Hij heeft een boek over zijn verhaal geschreven, *Tour de Life. From Coma to Competition.* Tot nu toe ontbreken er bij de uci en de wielersport duidelijke regels over hoe met hoofdletsel om te gaan, want wie moet beslissen of de renner opgeeft of de wedstrijd voortzet? Het medische team van de ploeg? De sportdirecteur? De arts van de Tourorganisatie – of de renner zelf? Tot nu toe is dit een onoverzichtelijk terrein. Dat geldt voor meer zware blessures, merkte Wout Poels vorig jaar. Met een gescheurde milt, nier, gekneusde longen en drie gebroken ribben probeerde hij na een val nog tien kilometer door te fietsen, voordat hij door zijn ploegleider uit de wedstrijd werd gehaald.

Acuut letsel is maar een deel van het verhaal, daarbovenop komen alle blessures als gevolg van overbelasting. Aan het Oslo Sports Trauma Research Center is een onderzoek gehouden onder honderd in Noorwegen woonachtige eliterenners (mannen en vrouwen), die gedurende een periode van drie maanden nauwgezet zijn gevolgd. Van degenen die actief waren, had 39 procent in die periode een of andere blessure als gevolg van overbelasting, 14 procent leed aan ernstige overbelasting. De meest voorkomende kwetsuur was de knieblessure: 23 procent had overbelaste knieën, terwijl 16 procent een overbelaste onderrug had.

De afgelopen tien jaar heeft er een duidelijke professionalisering plaatsgevonden van de medische teams die verbonden zijn aan de grootste professionele wielerploegen. Dat betreft het voorkomen van blessures, de manier waarop men het trainingsprogramma van de renners inricht en bewaakt, en alles wat te maken heeft met voedingspatroon en herstel. De Amerikanen zijn ongetwijfeld de drijvende kracht achter deze veranderingen geweest, gevolgd door Australië, Groot-Brittannië en de Scandinavische landen.

Minder vernieuwing op het gebied van sportmedische begeleiding komt van traditionele wielerlanden als Frankrijk, België, Nederland en Italië. Spanje bevindt zich waarschijnlijk in een tussenpositie, tussen de traditionele en de nieuwe wielernaties.

Noorwegen wordt tot de wereldtop gerekend als het gaat

om onderzoek in en kennis over het voorkomen van sport-blessures. Het academische klimaat op de Noorse Sporthoge-school staat daar garant voor. Het voorkomen van blessures geldt vanzelfsprekend voor allerlei sporten; wielrennen is slechts een van de sporten waar onderzoek naar wordt ge-daan. Laten we kijken naar een voorbeeld van het voorkomen van blessures binnen het wielrennen.

De 'Mallorca-knie' is een begrip onder jonge Noorse top-wielrenners. Na een winter met alternatieve conditietraining (onder andere langlaufen en hardlopen) reizen de renners af naar Mallorca (of andere zuidelijke oorden) voor de eerste trainingen op de fiets met steile bergen, hoge snelheden en langverwachte warmte. Maar vele renners klaagden al na een paar dagen over pijn in de knie. De blessure die je dan op-loopt, is een kwetsuur als gevolg van overbelasting en ken-merkt zich door pijn of gevoeligheid onder het kniekapsel. Zodra de blessure zich voordoet, is deze moeilijk te behande-len en verdwijnt alleen als de training een paar maanden wordt onderbroken. Buitengewoon frustrerend.

Onderzoekers aan de Sporthogeschool gingen aan de slag met het probleem van de 'Mallorca-knie' en vonden eenvou-dige maar effectieve tegenmaatregelen. Ze instrueerden juni-orentrainers om een lichter trainingsprogramma op te zetten voor de kwetsbare overgangsperiode tussen niet-specifieke conditietraining naar training op de fiets. 'Too much, too soon' moest voorkomen worden. De deelnemers kregen de opdracht de eerste drie dagen op vlak terrein te trainen, en daarna verplicht een rustdag te nemen, voordat ze zich moch-ten bewijzen in de bergen. Die verplichting werkte, sindsdien hebben veel minder Noorse juniorenrenners last van een 'Mallorca-knie'.

Wielrennen is een activiteit die bepaalde spiergroepen meer belast, terwijl andere spiergroepen juist zwakker wor-den als je geen alternatieve training volgt. Hierin zijn grote, individuele verschillen tussen renners, vertelt inspanningsfysioloog Benjamin Clarsen van de Noorse Sporthogeschool. De Australiër heeft jarenlange ervaring in het internationale profwielrennen als fysiotherapeut voor ploegen als La Française des Jeux, Davitamon-Lotto, Saxo Bank-SunGard en de nationale Australische en Noorse ploegen.

Renners die buiten het seizoen een alternatieve conditie- en krachttraining volgen, scoren aantoonbaar beter op testen voor verschillende spiergroepen dan degenen die alleen maar op de fiets trainen. Alberto Contador is een voorbeeld van iemand die behoorlijk gevarieerd traint en die buiten het seizoen vele dagen zonder fiets traint. Scandinaviërs staan bekend om hun gevarieerde training, iets wat natuurlijk ook met het klimaat thuis te maken heeft.

Benjamin Clarsen houdt zich ook bezig met de natuurlijke asymmetrie van het menselijk lichaam. Iedereen heeft een sterkere en een zwakkere kant, en hij gelooft dat de prestaties verbeteren als we die asymmetrie bewust tegenwerken. De asymmetrie, of onbalans, kan zowel gaan over verschillen in het bewegingspatroon (dynamica)als om de variatie in spierkracht (kinematica), bijvoorbeeld tussen de linker of rechter pedaalslag van een renner. Maar tot nog toe zijn er weinig wetenschappelijke projecten die dit gebied grondig hebben onderzocht.

Het voorkomen van blessures gaat ook over goede handelingsplannen om letsel dat tijdens de wedstrijd ontstaat te onderzoeken en te behandelen. Clarsen vertelt over het leergeld dat hij zelf moest betalen tijdens de Tour de France van 2007, toen hij de verantwoordelijkheid had voor topsprinter Robbie McEwen. Tijdens de openingsetappe in Engeland smakte McEwen 23 kilometer voor de meet samen met twintig andere renners op het asfalt. De meesten geloofden dat de kansen op een zege die dag daarmee verkeken waren, maar de ploeg van Predictor-Lotto deed een poging om het peloton weer bij te halen en bracht McEwen een paar kilometer voor de finish in positie. Hij won de massasprint, ondanks zijn bebloede en geblesseerde knie. Een grote dag voor Robbie McEwen en de Belgische ploeg: de groene trui en een etappezege.

Benjamin Clarsen wachtte McEwen bij de finish op om hem klaar te maken voor interviews en de huldiging, en vervolgens verstreken er uren waarin McEwen de pers te woord stond en de overwinning vierde. Pas om 23.00 uur kreeg Clarsen de blessure onder ogen. Veel te laat! De knie was nu zo gezwollen dat Robbie McEwen de volgende dagen te veel last kreeg. In de achtste etappe van Le Grand-Bornand naar Tignes kwam de Australiër buiten de tijdslimiet binnen en lag hij uit de wedstrijd, zijn tiende Tour de France. 'Vanaf de dag dat ik viel, ben ik niet meer in staat geweest voldoende kracht te ontwikkelen in mijn benen.' Met tijdige en juiste behandeling van de blessure direct na de val had dat voorkomen kunnen worden.

VIVE LA FRANCE •
Culturele hoofdstad 2013

Een jaar lang is Marseille het decor voor artistieke evenementen, waarbij het historische en culturele erfgoed centraal staan. In juni tot en met september zijn er diverse exposities, waaronder tweehonderd meesterwerken van schilders als Cézanne, Matisse, Bonnard en Van Gogh. Deze werken zijn in Musée des Beaux-Arts du Palais Longchamp in Marseille te bewonderen.

Ook zijn er volop podium- en andere kunsten, waaronder TransHumance. Daarbij komen duizenden personen en dieren uit Italië, Marokko en de Camargue samen. Groots spektakel!

ETAPPE 6 • Donderdag 4 juli

Start Aix-en-Provence
Aankomst Montpellier
Afstand 176 kilometer
Streek Provence-Alpes-Côte d'Azur,
   Languedoc-Roussillon
Bijzonder Rini Wagtmans won in 1970 op
   de sintelbaan in het Stade Richter in
   Montpellier.

BOOGERDS BLIK

Vandaag krijg je onherroepelijk een massasprint, met de grote kanonnen. André Greipel, Marcel Kittel en natuurlijk Mark Cavendish. Maar voor het zover is, blijft het de hele dag oppassen geblazen. Montpellier staat garant voor wind, waaiers. Ik heb daar nooit gereden dat het niet waaide. Er loert altijd gevaar, gewoon irritant. Ook al is er een groepje weg en rijden zes van een andere ploeg op kop. Van het ene op het andere moment kunnen ze wat wind voelen, drie kilometer harder gaan rijden en achterin heb je het zitten.

Waaierrijden is al niet fijn, maar het zwaarst is het als het ook nog golvend is. Van deze streek kan ik me alleen maar ellende herinneren. Ik heb hier in 2004 wel eens 130 kilometer op de kant gehangen. Ik kwam nooit van voren, maar werd ook niet gelost. Iedere keer als je dacht dat je gelost werd, had je weer een bosje, een beetje beschutting, en kon je je even herpakken. Daar ging je maar weer. Er zijn renners die meer schrik hebben van zo'n rit dan van een bergrit. Zo'n waaierrit, voor mij hoefde het niet.

De wind biedt ook altijd mogelijkheden. Kijk maar hoe Lance Armstrong in deze streek winst pakte in de eerste Tour na zijn comeback, in 2009. Daar liet hij weer even ouderwets zien dat je altijd oplettend moet zijn als klassementsrenner. Zeker omdat het aan het begin van de Tour is. Iedereen is nog nerveuzer dan normaal.

Peter Sagan behaalde hier ooit zijn eerste grote zege bij de profs, in Parijs-Nice van 2010. Dat geeft een goed gevoel, als je ergens al eens eerder hebt gewonnen. Zie je vaak dat ze dan nog eens winnen. Misschien dat Sagan het er hier op heeft staan. Maar Cavendish won twee jaar geleden ook al eens een Touretappe in Montpellier, al waren er toen waaiers. Die gaat zich vandaag niet laten lossen.

WIELERTAAL • Grasmaaien

Naar Montpellier heb ik zelf meer dan eens de hele dag het gras zitten maaien. Staat er zo'n laf windje, waarbij het nooit echt goed op de kant gaat. Iedereen blijft er dan aan hangen. Je rijdt met 160 man op een lint en niemand gaat ertussenuit, allemaal op het kantje. Zeker in Zuid-Frankrijk heb je veel wegen met van dat lange gras vlak langs de kant, dat zo'n beetje over de weg hangt. Dan voel je de hele tijd dat gras tegen je benen. 'Grasmaaien' noemden wij dat. En het kon nog gevaarlijk zijn ook.

Mensen die op het laatste moment hun kinderen wegtrekken, koelboxen op de weg. Stress en ellende. In 2007 hebben we rekening gehouden met dat gegeven door Bram de Groot en nog iemand de hele dag bij onze kopman Rasmussen te zetten. Bram moest hem normaal altijd vooral in het begin uit de wind houden. Maar nu zouden Thomas Dekker en ik dat doen, om Bram nog wat te sparen voor de finale. Dat heb ik geweten.

Het ging knoerthard, al na het eerste uur kwamen we het bord '50 kilometer' tegen. Draaien, keren, hobbelige weg. Veel jongens waren hun bidon verloren. 'Blijf jij maar zitten,' zei ik tegen Bram. 'Ik ga wel even bidonnen halen.' Ik halen. Maar daarna heb ik er minstens een halfuur over gedaan om terug van voren te geraken. Alleen maar op de kant gehangen, met zes van die bidonnen in mijn nek. Als ik daaraan terugdenk… In die streek koerste ik niet graag. Veel wind, slechte weg, warm. Slechte herinneringen.

TOURHISTORIE • Nederlandse ritwinnaars in Montpellier

In de Tour van 1938 was Anton van Schendel de derde Nederlander die een rit won, na Gerrit Schulte en Theo Middelkamp. Hij ontsnapte uit het peloton en kwam in Narbonne als eerste aan in het eerste deel van de tiende etappe, die uit drie delen bestond. Ook in het klassement van de rit, 's avonds opgemaakt in finishplaats Montpellier, was Van Schendel de beste. In 1970 won Rini Wagtmans de rit naar Montpellier. In de eindsprint op de sintelbaan van het Stade Richter, ook in gebruik voor paardenrennen, is hij veruit de behendigste. Waar Jan Janssen en Walter Godefroot achter hem vallen, gaat Wagtmans juichend als eerste over de streep in zijn zwart-witte trui van het combinatieklassement.

FACTS & FIGURES • Tourreglement

1903: Nachtelijke start. Bovendien toegestaan dat renners aan een of meer ritten deelnemen.

1905: Eind nachtelijke start. Puntensysteem: 1 punt voor de etappewinnaar, 2 voor nummer twee enzovoort, laagste puntenaantal wint.

1906: De renners worden in twee categorieën ingedeeld: de *poinconné*-klasse (gebruikt eigen fietsen van de organisator, de renner moet zelf onderweg reparaties uitvoeren) en de *plombé*-klasse (gebruikt eigen fietsen en kan onderweg onderdelen vervangen of van fiets verwisselen).

1909: Wielerploegen van fietsfabrikanten worden toegestaan, en er wordt een *isolé*-categorie ingevoerd voor renners zonder ploeg.

1913: Uitslaglijst gebaseerd op tijdverschillen.

1920: Vrije wielen toegestaan (dat wil zeggen dat de pedalen niet rondgaan als je niet trapt).

1923: Vervangen van onderdelen toegestaan.

1925: Mecaniciens kunnen kleine reparaties uitvoeren, maar geen nieuwe fietsbanden leveren.

1931: Renners kunnen bij een reparatie hulp aannemen van de toeschouwers langs de weg. Toegestaan om de fiets aan een ploeggenoot door te geven.

1937: Het gebruik van derailleurs toegestaan. Elke ploeg krijgt een eigen volgauto met mecaniciens.

1938: Individuele renners niet langer toegestaan, hierna alleen nog renners georganiseerd in wielerploegen.

1948: Vanaf etappe 3 valt elke dag de laatste renner in het klassement uit, maar de regel wordt algauw teruggedraaid.

1952: Verkiezing meest aanvallende renner van de etappe wordt ingevoerd.

1955: Fotofinish wordt ingevoerd.

1962: Merkenploegen worden toegestaan.

1968: Het uitdelen van waterflessen uit de volgauto's wordt toegestaan.

1989: Kwalificatie voor deelname wielerploegen via de UCI-ranglijst.

VIVE LA FRANCE • Fonteinen

Aix-en-Provence wordt vaak aangeduid als de stad van duizend fonteinen. De zeventiende-eeuwse Fontaine des Quatre Dauphins (fontein van de vier dolfijnen) is de bekendste. Verder zijn er drie prachtige fonteinen aan de centrale Cours Mirabeau, een prachtige laan beplant met dubbele rijen platanen en omringd door mooie huizen. Ook is Aix de geboortestad van Paul Cézanne, een beroemde Franse kunstschilder. Zijn werken zijn in het Musée Granet te bezichtigen.

ETAPPE 7 • Vrijdag 5 juli

Start Montpellier
Aankomst Albi
Afstand 205 kilometer
Streek Languedoc-Roussillon, Midi-Pyrénée
Bijzonder Twee Nederlandse ritzeges in Albi:
Daan de Groot (1955) en Gerrie
Knetemann (1975).

 **BOOGERDS BLIK**

Lastig ritje, lastige streek. Hier gaan ze al zowat naar duizend meter hoogte, heel de dag op en af. Dat is niet makkelijk. Normaal gesproken moet een beetje sprinter dit kunnen overleven, zeker in dit stadium van de Tour. Toch kan het een rit zijn voor aanvallers. Dan moet je als sprinter een goede ploeg hebben om alles onder controle te houden. Maar de verschillen in het klassement zijn voor de Pyreneeën waarschijnlijk nog niet zo groot, dus krijgen aanvallers ook niet te veel ruimte van de ploeg van de geletruidrager.

Nooit mooie, brede wegen bij Albi. Altijd een lastige finale. In 2007 reden we er een tijdrit en won Tom Boonen de dag ervoor in de massasprint. Ook toen was het lastig. Maar Quick Step bleef rijden en Boonen overleefde dat soort klimmetjes wel. Misschien is het voor Cavendish vandaag toch ietsje lastiger. Zeker wanneer renners als Sagan hun kans ruiken. Zijn ploeg kan proberen om het Cavendish lastig te maken en de groep uit te dunnen. En door die slechte wegen blijf je kans houden op valpartijen. Het is de laatste dag voor de eerste grote bergrit. Vorig jaar lagen op die dag alle Nederlandse klassementsrenners onderuit. Gevaarlijk dus. Als alles heel blijft, gaan we sprinten in Albi.

WIELERTAAL • Gecontroleerde koers

Eddy Merckx verloor ooit in een Pyreneeënrit dik van Luis Ocaña, om de dag erna vol in de aanval te gaan in een afdaling. Rini Wagtmans, toen ploeggenoot van Merckx, stond bekend als een uitmuntend daler. Hij wist bij wie hij moest zijn, en ronselde een paar Nederlandse renners als bondgenoot om een ontsnapping op te zetten. Ze waren geloof ik twee uur voor de verwachte aankomsttijd in finishplaats Marseille, zo hard reden ze. En Ocaña brak. Daar praten de mensen nu nog over. Dan zie je wel hoe het wielrennen is veranderd.

Wie gaat tegenwoordig nog vanuit het vertrek? Toen namen ze elkaar allemaal in de slag. In mijn tijd zocht je ook wel bondgenoten, nu soms nog. Maar 7 minuten goedmaken? Of 10 minuten wegrijden? Vorig jaar zag je een mooi staaltje in de Vuelta, toen Contador het bleef proberen en uiteindelijk wegreed van rodetruidrager Rodríguez. Dat blijft het leuke van wielrennen, dat zulke dingen kunnen. Maar in de Tour is die kans niet zo groot. Dan moet je lang teruggaan. Hinault die de ene dag verloor en de volgende dag in de aanval ging en tijd terugpakte. Helaas zie je dat niet meer.

Het wielrennen is veranderd. Toch geloof ik dat het nog steeds zou kunnen. Hinault en LeMond zijn als ploeggenoten nog wel eens samen in de aanval gegaan, in de rit naar Alpe

VIVE LA FRANCE • Albiga

De stad Albi bestond al in de Romeinse tijd en heette toen Albiga. De wereldberoemde kathedraal Sainte-Cécile werd tussen 1282 en 1480 gebouwd en is het grootste bakstenen gebouw ter wereld. De kathedraal diende destijds tevens als vestiging tegen de ketterij van de Katharen. Samen met de Pont Vieux, een oude brug uit de twaalfde eeuw, staat sinds juli 2010 de Episcopal City of Albi op de UNESCO-werelderfgoedlijst. Tijdens de Tour zijn er diverse festivals van klassieke muziek. Ook is Albi de stad waar in 1864 de beroemde afficheontwerper en kunstschilder Henri de Toulouse-Lautrec geboren werd. Zijn werk hangt er in Musée Toulouse-Lautrec.

d'Huez. Hoe lang hebben zij niet voorop gereden die dag? Stel, je hebt nu een zware col halverwege de etappe. Waarom zouden Wiggins en Froome niet eens volle bak aan de boom schudden? Dan rijden ze ook met z'n tweeën weg. Dan krijg je ook een heroïsch verhaal en ligt een heel peloton aan honderdduizend stukken. Zeker als er daarna gelijk nog een klim komt. Dat zou nog steeds kunnen. Maar het kan ook misgaan. En wie durft dat te riskeren? Het is een denkwijze. Ze gaan ervoor om het risico zoveel mogelijk te beperken. Maar het zou wel weer een keer heel gaaf zijn als iemand het probeerde.

Het is door Armstrong gekomen dat er op een berekende manier werd gekoerst. In 1998 deed Pantani het nog met een lange aanval, in de regen in een loodzware etappe over de Galibier. Ullrich in 1997 was ook een beetje zo, met groepen die met minuten smeten. Had ik zelf ook nog geld kunnen verdienen, als ik die dag wat harder had gereden in een kansrijke kopgroep met nummer twee Virenque. Maar ik kon niet meer, ook niet toen ik gelost was en bij Ullrich in de groep kwam te rijden.

Tegenwoordig is het minder spectaculair. Niet dat het

TOURHISTORIE • Nederlandse ritwinnaars in Albi

'En nu komt het applaus van de tribunes,' roept de legendarische verslaggever Jan Cottaar in een radioreportage tijdens de Tour van 1955. 'Daar komt Daan de Groot aanrijden. Daan de Groot op enkele tientallen meters voor de streep al triomfantelijk met de hand omhoog als overwinnaar van deze rit. Geen spurt meer, niets. Kalm aan. Hij is een beetje weggetrokken uiteraard van de vermoeienissen die hij deze etappe heeft moeten doorstaan.' Twintig jaar na De Groot is Gerrie Knetemann de tweede Nederlander die een rit wint in Albi. In totaal won de in 2004 overleden Amsterdammer tien etappes in de Tour, een Nederlands record dat hij deelt met Joop Zoetemelk en Jan Raas.

vroeger beter was, het is gewoon een keuze die wordt gemaakt en door een hoop renners wordt gerespecteerd. Maar er werd wel eens wat onbehouwener gereden vroeger. Je wist: ik heb een kans, nu moet ik gaan. Voor de tv-kijkers is dat jammer. Neem de rit van afgelopen jaar naar La Toussuire, die Pierre Roland wint. Het zou het leukst zijn geweest als de grote renners daarachter gewoon koers hadden gemaakt. Maar de ploeg van Sky was gewoon te sterk, ze konden alles neutraliseren. Dan houdt het op. Dan praat iedereen na afloop over een paar seconden verschil tussen Froome en zijn kopman Wiggins. Meer is er niet.

FACTS & FIGURES • Nieuwe landen

Wielrennen als internationale sport breidt zich verder uit. Steeds vaker duiken renners uit Azië, Afrika en Zuid-Amerika op, ook bij de beste ploegen. Inmiddels representeren renners uit Iran, Israël en Eritrea nieuwe nationaliteiten bij de World Tour-ploegen, bij de top dus. In 2009 volbrachten de eerste Japanse renners, Yukiya Arashiro en Fumiyuki Beppu, de Tour de France. De eerste Chinese rijder reed Milaan-San Remo in 2012. China heeft de afgelopen jaren verschillende meerdaagse wedstrijden georganiseerd, en in 2011 stond de eerste World Tour-wedstrijd op de kalender, de Tour of China. Wat zingt Katie Melua ook alweer: 'Nine million bicycles in Beijing'? Daar moeten toch potentiële talenten bij zitten?

In India, een land met 1,14 miljard mensen, krioelt het van de fietsen, het transportmiddel van de armen en het speeltje van de rijken. Men werkt systematisch aan de opbouw van een nationale ploeg. De nationale wielerbond heeft een centraal trainingscentrum dat gelegen is in een paleis in Pataria, Punjab, 250 kilometer ten westen van Delhi. Hier ligt ook een velodroom. Het paleis werd in 1887 gebouwd door de toenmalige maharadja, en is een architectonisch meesterwerk. Toen het gebouwd werd, aan de voet van de Himalaya, was het een van de grootste woonhuizen ter wereld. De Australiër Graham Seers, die meedeed aan de Olympische Spelen van 1980, werd aangesteld als trainer en moest van de grond af beginnen. India organiseerde in 2011 voor het eerst een grote internationale wedstrijd: de Tour of Mumbai. De Italiaan Elia Viviani versloeg na 180 kilometer Robbie McEwen in de sprint.

Oost-Afrikanen zijn de beste langeafstandslopers ter wereld. Dezelfde genen zullen ooit de beste wielrenners ter wereld voortbrengen. Maar de infrastructuur vormt een belemmering: wegen en ook het materiaal, inclusief de reserveonderdelen. Duur en lastig om aan te komen. Dan is het goedkoper en eenvoudiger om te lopen. Maar de wielrenners uit deze landen komen eraan. Langzaam maar zeker.

De UCI heeft de taak op zich genomen de beste wielrenners uit de kleinere landen, uit de 'derde wereld' van de wielersport, te ondersteunen. In het World Cycling Centre in Aigle, Zwitserland, worden de meest veelbelovende renners ondergebracht. Daar hebben ze de beschikking over gekwalificeerde toptrainers, de beste trainingsprogramma's en een uitgebalanceerd internationaal wedstrijdprogramma. Op den duur zal dit veelbelovende renners opleveren, en wie weet Tourwinnaars.

ETAPPE 8 • Zaterdag 6 juli

Start Castres
Aankomst Ax 3 Domaines
Afstand 194 kilometer
Streek Midi-Pyrénées
Bijzonder De Colombiaan Félix Cárdenas, in
2001 de eerste ritwinnaar hier, werd vorig
jaar op veertigjarige leeftijd nog nationaal
kampioen.

BOOGERDS BLIK

De eerste echte bergrit, met een heel lange aanloop. Je ziet dan
vaak in het begin een beetje angstig koersen. Er gaat een groep
lopen en daar komt de winnaar uit. Maar de eerste echte klim
van deze Tour, de Pailhères, is een echte motherfucker. Lang
en supersteil. Die verdient echt het predicaat *hors catégorie*.

Voordat je aan de echte klim begint, rijd je langs een rivier.
Daar loopt het voor geen meter, de hele tijd vals plat. Je vraagt
je constant af of die klim soms al begonnen is. Daar zit je al af
te zien. Constant zit je van voren en zo weer van achteren.
Voordat de klim begint, worden al genoeg renners gelost. De
wegen zijn slecht en het weer werkt ook zelden mee. Het is altijd vochtig in de Pyreneeën. Kwamen we een keer door een
dorpje met zo'n temperatuurmeter. Dat ding gaf 43 graden
aan! Toen kreeg ik al een wegtrekker.

Dan ineens draai je rechtsaf, smalle weg en gelijk echt steil
omhoog. Vaak zie je daar al snel een schifting. Grote delen van
de Pailhères zijn heel steil, die col heeft nergens vlakke stukken. De klassementsrenners zullen hier voor het eerst serieus
uit hun pijp moeten komen. In 2007 hebben we hier eens su-
perhard omhooggereden. Thomas Dekker en ik reden op kop

voor Rasmussen, de finish was die dag op Plateau de Beille. In een rit als deze kan een aanvaller op de Pailhères al wat proberen. Die berg ligt diep in de finale en leent zich uitermate goed voor een aanval.

De ploeg die de Tour wil winnen, probeert te controleren en bergop straf tempo te rijden. Het is maar net te zien of een klimmer als Contador goed genoeg is om al op de Pailhères aan te vallen en het verschil te maken. Je kunt jezelf daar ook helemaal op een hoop rijden. De afdaling is een kilometer of 25, dan is het alweer klimmen. Maar het is te doen, zeker als je iemand meekrijgt. En een renner als Contador kan het ook in een afdaling lastig maken voor Froome, die het dalen niet heeft uitgevonden. Kijk maar hoe Contador de Vuelta won vorig jaar. Die kan wel iets uit de hoge hoed toveren, zeker met Bjarne Riis als ploegleider. Voor ploegen is het heel moeilijk te controleren in zo'n afdaling. Zeker omdat de afdaling van de Pailhères lang is, en op sommige stukken heel listig.

Dit is echt een heel zware rit. De slotklim naar Ax 3 Domaines is niet echt dodelijk, maar na de Pailhères heb je niet veel meer over. Ax 3 Domaines heeft steile stukken, maar ook delen waar je een beetje kunt recupereren. In 2001, 2003 en 2005 heb ik er zelf gereden. Ik vond het wel een fijne berg, lag me goed. In het begin wat onregelmatig, na een steil begin wat afvlakken, dan weer heel steil. De laatste keer dat ze in de Tour finishten, heb ik hier mooie sport gezien. Met Contador en Andy Schleck was dat,

VIVE LA FRANCE • Jaurès

Jacques Brel heeft een prachtig lied gemaakt over Jean Léon Jaurès. De in 1859 in Castres geboren filosoof stond aan de wieg van het socialisme in Frankrijk en werd een beroemd politicus. Als pacifist wilde hij de Eerste Wereldoorlog via diplomatie voorkomen. Om die reden werd hij echter op 31 juli 1914 vermoord in Parijs, een dag voor de mobilisatie waarmee de oorlog begon. De Joods-Oostenrijks-Hongaarse auteur Joseph Roth (1894-1939) beschrijft dit verhaal in zijn boek *Biecht van een moordenaar in een nacht verteld* (1936).

in 2010. De Fransman Christophe Riblon was toen al vroeg ontsnapt en won, Robert Gesink reed die dag ook goed.

WIELERTAAL • Doodsverachting

In ritten waar de ene klim op de andere volgt, zoals deze, is ook de afdaling heel belangrijk. Zeker als het een keer slecht weer is in de Pyreneeën. Je kan een hele goede klimmer zijn, alles voor het klassement hebben uitgedokterd. Maar als je niet kan dalen, ben je dan de lul. Mensjov had dat op de Bonette in 2008. Zat goed mee op de top, vijf man over. Maar in de afdaling wordt hij eraf gereden. Kost hem 30 seconden. Weg.

Sky speelde daar vorig jaar heel goed op in. Ze hadden met Richie Porte en Michael Rogers twee klimmers die ook goed kunnen dalen. Die jongens zetten ze vanaf het begin op kop, ook naar beneden. En de rest van het peloton liet ze begaan. Geen van de andere ploegen beschikte blijkbaar over de tactische vermogens om die orde te verstoren.

Een ploegleider als Bjarne Riis zal nooit met zo'n koersverloop akkoord gaan. Die laat zijn renners nooit als makke lammeren naar de slachtbank leiden. Dat zag je ook in de Vuelta vorig jaar. Iedereen dacht net dat het beslist was. Tot Contador op een heel raar moment in de aanval gaat, Rodríguez op tweeënhalve minuut rijdt en de Vuelta wint.

Rodríguez knakt zomaar, leek het. Maar daar moet je altijd beducht voor zijn. Ze pakken 10 seconden in de afdaling, trekken bergop een keer hard door en jij hebt je regenjack nog aan. Dan heb je het zitten. Dan kan het wel eens heel lang duren voordat je terugkomt. En als dat al lukt, heb je een hoop krachten verspeeld.

Ze zijn nu bij de Blanco-ploeg bezig met een downhillspecialist. Dat is voor de jongens wel goed, dan ben je er in elk geval mee bezig. Lars Boom is iemand die behendig is op de fiets en hard naar beneden durft te rijden. Maar je hebt weinig klimmers die ook superdalers zijn. Ook dalen is een kunst apart. Rijdt het peloton gewoon lekker naar beneden, goed hard, dan is het lekker dalen en hebben die gasten allemaal geen stress. Maar dat is totaal anders als er op het scherp van de snede wordt gereden.

Alberto Contador zal je misschien niet direct een meester-daler noemen. Maar hij rijdt wel verschrikkelijk hard naar beneden. Andy Schleck is al een paar keer in de afdaling gelost. Robert Gesink, Bauke Mollema en Laurens ten Dam staan ook niet bekend als de grote stuurmannen. Daarom is het goed dat ze daarin investeren.

Wielrennen zit steeds meer in de details. Alles wordt gewo-gen, in de windtunnel worden de posities op de fiets bekeken. Iedereen doet dat. Dus zal je ook moeten kijken naar het da-len. Je hebt jongens die minder vermogen trappen bergop, maar die juist wel een gevaar kunnen vormen in de afdaling. Het zal niet lang duren in de wielrennerij of er wordt gekeken of je met een aanval in de afdaling de boel kan beslissen.

Vroeger heerste er nog wel eens de gedachte om elkaar niet aan te vallen in de afdaling. Soms moest je op het scherp van de snede, als je gelost was en moest terugkomen. Maar zeker als het gevaarlijk was, vroegen we ons af of we dat wel moes-ten doen. Net zoals in de bevoorrading heerste er een soort erecode om niet aan te vallen. Maar tegenwoordig weten we dat erecodes niet meer zoveel voorstellen.

Alles wordt steeds zakelijker. De tijden van de gentleman's agreements zijn voorbij, die sfeer heerst steeds minder in het wielrennen. Dat zal te maken hebben met de wisseling van ge-neraties. In mijn tijd was er meer onderling respect dan te-genwoordig. Dus nu ga je vaker zien dat er juist aangevallen wordt op gevaarlijke punten. Dat gebeurt al een beetje, want de valpartijen zijn niet voor niets steeds heftiger.

Je hebt renners die kunnen aanvallen in de afdaling. Die dat durven. 'Sammy' Sánchez van Euskaltel is er zo een. Van die kleine koersen in het Baskenland, regen, gevaarlijke afdaling. Dan kon je maar het best bij Sánchez in de buurt zitten. Die ging dan altijd. Het mooist is als de mannen van het klassement elkaar gaan aanvallen. Zoals twee jaar geleden in die rit naar Gap, toen Contador ineens gas gaf en de Schlecks werden gelost. Dan zie je pas welke renners alles beheersen. Klimmen en dalen.

Het is altijd goed om je te verdiepen in je tegenstanders. Wie kan er dalen, wie is bang? Ik wist dat, keek er ook heel erg naar. Niet gluiperig of zo, maar ik was in de laatste kilometer bergop al bezig bij wie ik in de buurt ging zitten. Reed ik naast iemand die niet kon dalen, dan was ik meteen weg daar. Ik vond het altijd het fijnst om bovenop zo ineens naar beneden te gaan. Niet eerst even een jackie aan of zo.

Ik zat vaak bij Laurent Jalabert in de buurt, of bij Axel Merckx. Die konden hard dalen, maar ze daalden ook fijn. Anders dan een Robert Hunter of Stuart O'Grady. Als zij gas gaven, was Boogie even weg. Die mannen daalden met doodsverachting! Als ik daarachter zat, ging ik fouten maken. Het liefst reed ik met renners die *steady* en hard naar beneden reden.

Dan heb je ook nog renners die echt gevaarlijk naar beneden reden. Bij hen moest je zeker niet in de buurt zitten. Of renners die bang waren voor een afdaling. Thomas Dekker had af en toe zoiets van: shit, een afdaling, hoe ga ik dat overleven? Als je dat van je concurrent weet, kun je daarop inspelen. Dan kun je in de afdaling van de Pailhères zo weg zijn.

Je kunt een ander ook helemaal uit zijn ritme halen in een afdaling. Als iemand goed in zijn vel steekt, rijdt hij altijd beter bergop. Maar naar beneden kun je van het ene op het andere moment omgeturnd worden in je hoofd. Als goede daler kun je risico's pakken en zien dat je grootste concurrent het moeilijk heeft. Daar krijg je zelf moraal van. Hij moet terugkomen, wordt weer gelost. Zo iemand zit niet lekker in zijn vel, moet hard remmen, slipt een keer. Daar moet je proberen gebruik van te maken.

Jan Ullrich was in mijn tijd niet echt de beste daler. Heel apart was dat. Hij daalde of heel slecht, of normaal. Armstrong was een solide daler, nam nooit risico's. Maar hij is natuurlijk ook nooit in de positie geweest dat hij risico's moest nemen. In de afdaling had hij meestal zijn ploeggenoten op kop rijden. Pantani daalde hard, keek nergens naar. Later had je Frank en Andy Schleck, dat was een drama. Denis Mensjov bij ons in de ploeg was ook geen ster. Bram de Groot was wel een goede daler. Hij kon hele afdalingen op kop doen. Hard en safe, kon de rust bewaren. Carlos Sastre was geen goede daler. Maar wij maakten het elkaar ook meestal niet echt lastig. Soort van ongeschreven afspraak.

Contador doet het nu wel, aanvallen in de afdaling. Hij kan ook echt goed dalen. Ik kan me nog de Ronde van het Baskenland herinneren in 2005. De laatste middagetappe was altijd een bergtijdrit. Het regende, slecht weer. Ik was heel goed, reed sterk de klim op. Dan naar beneden, over zo'n geitenpad. Ik eindigde vooraan in die tijdrit, zat na afloop in de bus en zag Contador finishen. Hij reed zo hard naar beneden. Die is gek, dacht ik toen.

Wiggins is niet echt een meester-daler, Froome al helemaal niet. Nibali is wel een heel goede daler. Dat is er ook een die er helemaal voor gaat. Als ik Nibali was en ik had aspiraties voor de rit of het klassement, dan ging ik in de afdaling van de Pailhères iets proberen. Zeker in zo'n afdaling rijd je jezelf toch nooit helemaal op een hoop. Als hij slim is, heeft hij misschien nog wat ploegmaten voorop zitten om te helpen.

De Pailhères, Madeleine, Glandon, Croix de Fer – dat zijn gevaarlijke afdalingen. Of Cormet de Roselend. Denk aan de val van Johan Bruyneel daar in 1996, toen Rabo-baas Herman Wijffels hem uit het ravijn trok. De gevaarlijkste afdalingen zijn die waarin je steeds het gevoel hebt dat het lekker loopt. En dan ineens een rare bocht. Normaal leggen ze de bochten zo aan dat ze allemaal ongeveer hetzelfde zijn. In de Pyreneeën heb je vaak bochten die je helemaal niet kunt inschatten. Er zijn zoveel gevaarlijke afdalingen. De Port de Balès, ook zo'n listige afdaling. Daar reed Contador in 2010 volle bak, met Andy Schleck achter zich aan.

Op tv zie je renners ook vaak in dezelfde bocht onderuit-schieten. Zoals toen met Voeckler in de Tour van 2011, de rit in Italië naar Pinerolo, die net als wat andere renners dat terras op vloog. Wat was dat gevaarlijk! De grootste ongelukken gebeuren vaak als het peloton niet geconcentreerd is en er rustig naar beneden wordt gereden. Daal je echt op het scherp van de snede, dan ben je supergeconcentreerd. Dan gaat het meestal goed.

TOURHISTORIE •
Ritwinnaars op Ax 3 Domaines

Jaar	Renner	Land
2001	Félix Cárdenas	Colombia
2003	Carlos Sastre	Spanje
2005	Georg Totschnig	Oostenrijk
2010	Christophe Riblon	Frankrijk

ETAPPE 9 • Zondag 7 juli

Start Saint-Girons
Aankomst Bagnères-de-Bigorre
Afstand 165 kilometer
Streek Midi-Pyrénées
Bijzonder In de finale volgen de laatste drie
beklimmingen vlak na elkaar, meer dan
30 kilometer bergop in totaal.

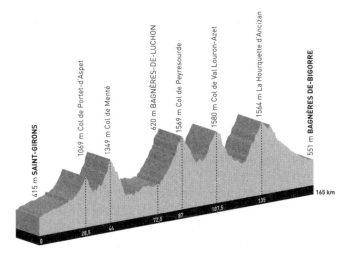

BOOGERDS BLIK

Er zijn maar twee Pyreneeënritten dit jaar, maar wel allebei
heel lastig en gelijk in het eerste weekend. Dat gaat mooi worden. Dit is ook een superlastige rit, met bekende cols: Portet-
d'Aspet, Col de Menté, Peyresourde, Val-Louron-Azet en
Hourquette d'Ancizan. Het spel is gelijk op de wagen, met al
snel de Aspet en de Menté. Veel jongens hebben van tevoren

59

serieus angst voor dit soort ritten.

De niet-klimmers hopen dat er zo'n tweede dag in de Pyreneeën wat rustiger zal worden gereden. De dag ervoor is zwaar geweest, het klassement is gemaakt, er gaat een groep lopen en de rest blijft compact. Maar voor hetzelfde geld wordt er wel meteen volle bak gereden. Jongens als Thomas Voeckler of Sylvain Chavanel zijn niet bang om er meteen in te vliegen en hebben in dit soort ritten wat te winnen. Zo heb je altijd klimmers zonder ambitie voor het klassement, die zich een dag eerder op achterstand laten rijden en nu vanuit het vertrek in de aanval gaan. Heel moeilijk te controleren. En als er dan een klassementsrenner mee springt, gaan ze er de hele dag achteraan rijden. Dat kan dodelijk zijn.

De laatste drie cols liggen vlak na elkaar, meer dan 30 kilometer bergop. De Col de Val-Louron-Azet zat er ook in toen George Hincapie in 2005 ineens de koninginnenrit won in de Pyreneeën. Dit is een beetje dezelfde rit, heel lastig, geen meter vlak. Ik heb toen de hele dag op kop gereden, eerst nog met mijn ploeggenoten Erik Dekker en Karsten Kroon. Op Val-Louron-Azet kwam ik als derde boven in de kopgroep. Maar op de slotklim naar Pla d'Adet werd ik er ineens afgereden door Hincapie en Óscar Pereiro.

Nu rijden ze als laatste klim de Hourquette d'Ancizan op. Ken ik niet. Hij begint iets lager en gaat even hoog als Val-Louron-Azet. Lijkt me een lastige klim als je de stijgingspercentages ziet. Daarna alleen nog maar afdalen. Een ordinaire bergrit, na vandaag zal het klassement voor een deel gemaakt zijn.

WIELERTAAL • Cartouche

Klimmen is een aparte discipline. Kijk wie tegenwoordig de rondes winnen, dat zijn vooral de types-Indurain. Mannen die heel lang een hoog tempo kunnen rijden. Ook bergop kunnen ze heel lang tegen hun maximum blijven klimmen. Wiggins is er een goed voorbeeld van, Nibali is ook iemand die altijd moet blijven rijden.

Daartegenover heb je nog een paar van die lichtere manne-tjes, type-Contador. Die rijden het liefst zo onregelmatig mo-gelijk een klim op, met veel tempoversnellingen. Op die ma-nier kunnen ze het voor de andere klassementsmannen om zeep helpen. Voor de mannen van het gestage tempo is het dan zaak om rustig te blijven. Maar dat is niet makkelijk.

Je zit als klassementsrenner op kop en Contador poeft uit je wiel. Je kunt niet in een glazen bol kijken, weet niet of hij gaat stilvallen of dat hij nog een paar van die versnellingen in huis heeft. Zelf was ik ook zo dat ik altijd bleef rijden. Ik werd wel vaak gelost, maar nooit echt. Omdat ik tempo bleef rij-den.

Naarmate je ouder wordt, krijg je daar meer vertrouwen in en durf je op je eigen kwaliteiten te bouwen. Jonge klasse-mentsrenners die aan de leiding staan, zie je om deze reden nog wel eens door het ijs zakken. Die laten zich toch gek ma-ken, gaan te lang boven hun macht rijden en verliezen uitein-delijk veel meer tijd.

In deze Tour heb je veel aankomsten bergop. Ideaal voor Contador. Met één cartouche kan hij Wiggins op achterstand zetten. Froome ken ik qua stijl van klimmen onvoldoende, maar vorig jaar liet hij in de Tour goede dingen zien, net als in de Vuelta van het jaar ervoor. Al moet je altijd kijken naar de rest van het deelnemersveld en de situatie van dat moment. Wat hij bergop echt kan als klassementsman of als hij in het geel staat, dat weten we nog niet.

Je ziet de laatste jaren een tendens van: hoe lichter hoe be-ter. Soms zie je klimmers zo licht rijden dat ze niet eens meer kunnen versnellen. Armstrong begon ermee, zeggen ze. Maar kijk naar oude beelden van Indurain, of Ullrich in zijn eerste jaren. Die mannen reden ook al vrij licht bergop. Ze bleven ook vrijwel altijd in het zadel zitten.

Indurain reed lichter dan zijn tegenstander Chiapucci, Ull-rich reed lichter dan Pantani of Virenque. Terwijl Chiapucci, Pantani en Virenque als de klimmers golden. Die mannen

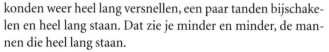

konden weer heel lang versnellen, een paar tanden bijschakelen en heel lang staan. Dat zie je minder en minder, de mannen die heel lang staan.

Het oude type klimmer, de mannen die lang konden staan, lijkt uitgestorven. Robert Alban in de tijd van Bernard Hinault en Joop Zoetemelk herinner ik me goed. Andrew Hampsten had je later, die nog tegen Breuk de Giro won. Johan van der Velde was ook een renner die lang kon staan. Zelf stond ik ook veel. Die stijl ontwikkel je blijkbaar.

Nu heb je Alejandro Valverde nog, die vrij zwaar klimt. Voor de rest is het lichter en lichter. Ik ben benieuwd of Andy Schleck nog kan terugkeren op zijn oude niveau. Ook nog een renner die op een heel grote versnelling een demarrage kon plaatsen. Dat zie je Wiggins niet doen, net als de rest van de hedendaagse generatie.

Gesink is ook van dat heel lichte rijden bergop. Hij moet het niet van de tempoversnellingen hebben, maar is juist een renner die moet blijven rijden. Net als Ten Dam, al is Gesink een betere klimmer. Bij Ten Dam heb ik nooit het gevoel dat hij echt wordt gelost. Hij wordt wel gelost, maar kan het verlies altijd buiten de perken houden.

Als het voorin stilvalt, zitten jongens als Gesink en Ten Dam er met een paar trappen extra weer bij. Dan kom je mentaal vaak in een flow. Bij Gesink zie je vaak dat hij aan het begin van de klim moeite heeft of eraf wordt gereden bij de besten. Dan komt hij weer terug en houdt daarna het verschil ongeveer hetzelfde. Hoe langer de klim, hoe meer kans dat hij zelfs voorin terugkomt.

In 2010 zag je Gesink constant aan het elastiek hangen op de laatste klim naar Avoriaz. Dat was op de dag dat eerst Armstrong eraf werd gereden. Je dacht ieder moment dat Gesink moest lossen; soms loste hij ook een paar meter. Maar wie demarreert er in de laatste kilometer? Gesink. Hij won zowat de rit. Sterker nog, volgens mij had hij kunnen winnen als hij iets eerder had aangevallen.

Ik zou Gesink liever iets aanvallender zien rijden in de bergen. Het is logisch dat hij blijft doen waar hij zich goed bij voelt, in zijn comfortzone. Maar volgens mij kan hij nog iets meer uit zijn kwaliteiten halen. Dat zie je als de druk wat minder groot is. In de

TOURHISTORIE • Ritwinnaars in Bagnères-de-Bigorre		
Jaar	Renner	Land
1952	Raphaël Géminiani	Frankrijk
1959	Marcel Janssens	België
1963	Jacques Anquetil	Frankrijk
1965	Julio Jiménez	Spanje
2008	Riccardo Ricco	Italië*
* gedeclasseerd wegens doping		

Tour of California van vorig jaar, of een paar jaar eerder in de Ronde van Zwitserland, rijdt hij bergop weg en wint met een grote voorsprong. Zo moet hij in de Tour ook rijden.

WIELERTAAL • Klimploeg

In de bergen is het volgens mij niet eens zo belangrijk om als kopman veel ploeggenoten bij je te hebben. Dat wordt echt overschat. Je hebt een stabiele ploeg nodig om te controleren, maar je hoeft niet per se allemaal sterke klimmers te hebben. Neem Sky, dat vorig jaar met vier man vooraan ging rijden in de cols. Froome en Wiggins hoefden nog niet eens op kop te komen of er bleven nog maar drie, vier renners over in hun wiel.

Dat ziet er wel mannelijk uit, als je onderaan zoveel man op kop zet. De een begint te rijden, na een kilometer de volgende en zo door. Vaak zie je dan wel dat er onderaan op die manier tachtig man wordt afgereden. De knechten hebben dan hun werk gedaan en moeten er zelf ook af. Ik zie het belang niet zo. Want bovenop zit je vooraan met dezelfde concurrenten die er toch hadden gezeten. Als Wiggins of Froome zelf meteen aangaan, blijven dezelfde drie of vier renners over. Dus wat is het nut om die andere twee Sky-renners op te blazen?

Vaak krijg je in het klassement algauw drie man die in de bergen aan elkaar gewaagd zijn en voor het geel gaan. Dan heb je de steun van een ploeg op de laatste klim niet zo hard nodig. Een ploeg met alleen maar klimmers werkt ook niet. Je hebt veel meer aan sterke mannen, als er in het begin groepen

VIVE LA FRANCE • Parvenu uit Pau

'Parijs is wel een mis waard' – deze beroemde woorden zijn van koning Hendrik IV van Navarra, die zich op 25 juli 1593 bekeerde tot het katholicisme en dit geloof tot staatsgodsdienst van Frankrijk bekrachtigde, maar die tegelijkertijd de protestanten vrijheid van religie gaf. In de geschiedenisboeken wordt Hendrik IV afgeschilderd als de koning die vrede bracht tussen de twee religies. Hendrik IV werd in 1553 geboren op het kasteel in Pau en in 1589 werd hij koning van Frankrijk, de eerste koning van het geslacht Bourbon. In die tijd behoorden de stad Pau en het koninkrijk Navarra tot het centrum van het Franse protestantisme.

Maar er is een andere man, geboren en getogen in Pau, in de schaduw van het kasteel van Hendrik IV, die meer verbonden is met de Noorse geschiedenis. Tijdens het carnaval van 1763 beviel Jeanne Bernadotte, echtgenote van een advocaat, van een zoon, die de naam Jean Baptiste kreeg. Op zijn zeventiende meldde hij zich aan als soldaat bij het Franse leger. Vijf jaar later werd hij bevorderd tot sergeant. Het oude regime belemmerde een verdere promotie; alleen edelen konden de officiersstatus krijgen. Maar de Franse Revolutie bood kansen voor de bekwame Bernadotte. In 1794, hij was toen 31 jaar oud, werd hij bevorderd tot generaal in het Franse leger en al snel werd hij maarschalk. Jean-Baptiste werd gezien als een geniaal strateeg en moedig krijger op het slagveld. Hij trouwde met Désirée Clary, wier zus getrouwd was met de broer van keizer Napoleon, Joseph Bonaparte. Zo eindigde Jean-Baptiste Bernadotte, een eenvoudige advocatenzoon uit Pau, als zwager van de Franse keizer. In 1810 werd hij benoemd tot kroonprins van Zweden, en in 1818 werd hij koning van Zweden en Noorwegen, onder de naam Karel XIV Johan.

In Rue Tran op nummer 8 bevindt zich in Museé Bernadotte, een achttiende-eeuws huis dat nog in uitstekende staat verkeert, een mooie tentoonstelling over Karel Johan. Op een aangelegde heuvel daartegenover bevindt zich het Château de Pau, dat eveneens is opengesteld voor publiek.

gaan lopen met gevaarlijke outsiders. Dan heb je mannen nodig om het gat niet te groot te laten worden.

Een ploeg moet controle hebben en, wat ook heel belangrijk is, gezag uitstralen. Als de ploeg op kop rijdt en je legt anderen op de pijnbank, dan wordt de motivatie om aan te vallen ook wat minder. Maar je kunt je ploeg volgens mij beter
gebruiken in de vlakke ritten dan echt in de bergen. Mits een
andere ploeg niet twee man kort in het klassement heeft. In
dat geval is het wel fijn als jij ook iemand hebt om aanvallen
te kunnen neutraliseren. Dan lijkt één goede klimmer erbij
me wel genoeg.

Een renner als Wiggins heeft altijd één goede klimmer nodig in zijn ploeg, net als Indurain vroeger. Als je zelf geen spe-
cifieke klimmer bent, moet er iemand van jouw ploeg kunnen
reageren op een aanval. Zelf kun je dan blijven zitten en je eigen tempo rijden. Omdat je in het algemeen een betere renner bent, kun je het verschil later wel maken in de tijdritten.
Een ploeggenoot erbij kan ook een voordeel zijn om water te
halen. Maar dat je de Tour verliest omdat je ploeg niet sterk
genoeg was in de bergen... Dat is zelden voorgekomen.

WIELERTAAL • Mijnwerkers

Wielrennen is een superzware sport, zeker de Tour de France. Iedere dag kom je helemaal naar de klote over de streep. 's Avonds ga je soms half huilend je nest in. Dat mag je gerust letterlijk nemen. En je wordt bang wakker. 'Wat gaat vandaag weer brengen?' Dat valt me ook het meeste op nu ik er de laatste jaren van buitenaf naar kijk. Dag in dag uit, dat ritme. Als je zelf in die wereld zit, wordt dat op een gegeven moment gewoon voor je. Zo praten de meeste mensen er ook over. Maar het is helemaal niet gewoon.

Dat geldt niet alleen voor de Tour de France, ook voor een Ronde van Vlaanderen of Parijs-Roubaix. Wie nooit met een groep van tweehonderd profrenners naar het Bos van Wallers is gereden, kan niet begrijpen wat dat is. Ik weet wat dat is, en met mij bijna alle renners. Ook ik roep tegenwoordig soms op tv: 'Wat een softie.' Maar dat is dan wel een softie in mijn wereld. Of ik zie Johnny Hoogerland 'als een halve' naar beneden rijden. Dat zeg ik dan ook: 'Tjonge, Johnny, kom op nou jongen, blijf aan dat wiel.' Maar iemand van buitenaf kan dat eigenlijk nooit zeggen. Ga het eerst maar eens doen.

Ik weet hoe het is om naar zo'n gevaarlijke strook toe te rijden, of naar de Kwaremont. In de Tour is dat ook zo erg. De angst om te vallen is enorm. Alleen al daarom is wielrennen geen normale sport. Dat is echt nergens mee te vergelijken. Die Tour vergt drie weken lang niet alleen fysiek het uiterste, maar ook mentaal. Iedere keer moet je jezelf opladen om je weer in dat strijdgewoel te gooien. Daarom zijn ze toch een beetje apart, die profrenners. Geen gewone mensen.

Kijk bijvoorbeeld naar het schema van deze Tour. Na de rustdag van vandaag weet je al dat je aan het einde van de tweede week een moordend lange rit naar de Ventoux krijgt. En dan de laatste week de Alpen in, twee keer op één dag de Alpe d'Huez op. Mooi, spektakel, hoge kijkcijfers. Zo lang als je erin zit, zit je erin. Je doet wat je moet doen. Maar als ik nu naar de Tour ga en ik loop 's ochtends langs die bussen, dan bekijk ik het toch anders. Ik kijk naar die jongens en denk: wat zien jullie eruit. Zo mager! Dat komt niet voor niets. Die gasten zijn helemaal uitgehold.

Als je erin zit, is dat normaal voor je. Dan pak je een huid-plooi en denk je: zo, ik sta nog vet. Maar als je het van buitenaf ziet… Ongelofelijk. En die mannen moeten in de derde week in de bloedhitte nog een paar keer zo'n berg op. Je mergelt je-zelf helemaal uit. Op tv is dat niet eens goed te zien. Maar het is echt abnormaal. Over de streep zien ze helemaal grijs, ze lij-ken wel mijnwerkers die na drie weken weer boven komen. Maar je moet erdoorheen, je moet toch die volgende berg weer op.

In de Tour van 2011, toen Evans won, had je de rit over de Izoard met finish op de Galibier. De rit die Andy Schleck won. Je hoefde niet eens meer aan te vallen, als je maar bleef rijden schoof je vanzelf op naar voren. Toen kon je echt zien hoe zwaar het was. Komen die gasten boven, moeten ze ook nog eens op het fietsje terug. Met alle gevaren van dien.

Op zo'n Galibier kun je geen kant op. Hoe je naar beneden komt? Je zoekt het maar uit. Dat vind ik zo indrukwekkend om te zien, nu ik er zelf niet meer tussen rijd. Vorig jaar ook weer, in die rit dat Gesink afstapte, met vier Alpencols en fi-nish op La Toussuire. Kort ritje, maar je ziet die gasten hele-maal verward boven komen. Met zo'n machteloze uitdruk-king van: 'waar ben ik beland?'

Als je slecht hebt gereden of je bent een nobody, dan word

je echt niet opgewacht door pers of soigneurs. 'Hoe moet ik terug, waar staat mijn bus?' Als er al een bus staat. Want anders mag je lekker op het fietsje terug. En zorg zelf maar dat je een droog jackie hebt. Soms zijn er honderdduizend mensen op zo'n berg. Maar dan sta je daar heel alleen. Zouden de mensen die nu zo hard over wielrenners oordelen, ook weten hoe dat voelt?

Als je mazzel hebt, krijg je bovenop een bidonnetje en een droog sweatshirt. Dat moet je van tevoren soms ook zelf regelen. Vlak voor de start, en dan ben je altijd al nerveus. Hoor je dat de bus vandaag niet boven komt. 'Geef even droge kleding mee, want Ton staat boven op jullie te wachten.' Moet je snel een jack zoeken. Maar moet dat dik of dun zijn? Boven is het soms 3 graden, soms 25. Mutsje erbij, regenjack voor het geval dat.

Boven aan de finish sta je daar maar. Snel een jackie aan, een petje op. Wil je over de finish terug rijden naar beneden, staat daar altijd zo'n overijverig mannetje van de organisatie, die je er natuurlijk niet doorlaat. 'Maar ik moet toch naar beneden?' Schreeuwen ze: 'Je moet de afleiding van de auto's maar volgen!' En spreek ze maar niet tegen. Dus moet je tegen de richting van die ploegauto's in, die maar blijven toeteren. Over van die rijplaten die over de blubber zijn gelegd. Wat een ellende!

Het eerste stuk blijf je langs het hek rijden, want er komen nog renners naar boven rijden die nog niet zijn gefinisht. Maar na drie kilometer houden de hekken op. Dan is de laatste bus voorbij en moet je door het publiek gaan rijden. Constant remmend rijden. Heel je nek doet zeer van het remmen, je remblokken zijn versleten als je beneden komt. Maar je kunt je niet laten bollen. Levensgevaarlijk.

Ik heb het gehad op Pla d'Adet in 2001. Rare etappe gereden, redelijk gefinisht, nog wel een goede tijd op de laatste klim. Toen ben ik gevallen in de afdaling. Ik reed naar beneden, toen er ineens zo'n Bask overstak, in zijn oranje shirt.

Kreeg ik een vlag in m'n wiel en lag ik ineens op de grond. Zo'n moment dat iedereen wel eens meemaakt. Je ziet iemand oversteken, je gaat remmen en roept. Je gokt dat ze blijven staan, dat had hij het best kunnen doen. Maar nee. Ik kies rechts, precies de kant die hij ook op ging. Dan lig je.

De rit is al gedaan, lig jij daar tussen al die dolle mensen die nauwelijks oog voor je hebben. Meer renners hebben dat meegemaakt. Patrik Sinkewitz heeft zo in 2007 de Tour moeten verlaten. Reed ook op een toeschouwer. Dat zien de mensen thuis niet. Maar zelfs na de finish is het in zo'n bergetappe soms best wel *scary*.

Plateau de Beille is een klim van 17 kilometer, daar konden ze boven ook nooit staan. Moest je na de finish met de fiets naar beneden rijden. Dat was lang, man, het duurde zowat een uur! Want je kan niet hard naar beneden, het is altijd druk. Ik had het daar nooit op. Maar je had geen keus.

Soms mocht je in de auto wachten. Adri van der Poel en Hennie Kuiper reden dan gasten van de Rabobank, die met een helikopter terug vlogen. Dan was hun busje leeg en zeiden Poel of Kuiper: 'Joh, stap in.' Die mannen kennen de koers, hebben gevoeld wat jij voelt. Dan reden zij je naar beneden. Maar dan was je ook anderhalf uur verder, want dan moest je tussen het verkeer van de berg af.

Stel je voor, heb je net een bergrit van 200 kilometer gereden. Helemaal kapot. Zit je daar in zo'n busje te bibberen, met je bidonnetje. Haarspeldje voor haarspeldje de berg af. Word je ook weer eng van. En maar wachten in die file. Terwijl die gasten van de Rabobank met hun petjes op de top zo in de helikopter springen. 'Jongens, wij gaan alvast!' Dan moest ik wel eens oppassen om niet uit mijn slof te schieten. Vooral als zo'n betwetertje even ging uitleggen hoe je had moeten koersen.

TOURHISTORIE • Protest

In 1991 had de Tourorganisatie een rustdag gepland tussen de elfde en twaalfde etappe. De renners hadden het winderige Bretagne achter zich gelaten en zouden naar het zuiden worden getransporteerd, naar de stad Pau. De regels schreven voor dat alle wielrenners het reisplan van de organisatie stipt volgden. Volgens planning zouden ze met het vliegtuig naar de Pyreneeën worden gebracht. Maar de Zwitserse klimmer Urs Zimmermann, die voor het Amerikaanse Motorola fietste, gaf de voorkeur aan de auto. Niet omdat hij vliegangst had, maar omdat hij last had van zijn trommelvliezen. In een plaatselijke krant dook een foto op van Zimmermann in een wegrestaurant. De Spaanse ploeg once lichtte onmiddellijk de organisatie in, die resoluut reageerde en de Zwitser uit de Tour zette.

De Tourdirectie onderschatte echter de stemming in het peloton. Zimmermann en Motorola hadden natuurlijk de organisatie moeten inlichten om het probleem voor te leggen in plaats van gewoon weg te rijden. Maar de renners waren kwaad vanwege de starre regels en weigerden in de twaalfde etappe te starten als de Zwitser niet werd vergeven en de koers mocht vervolgen. Er ontstond een heftige discussie tussen Tourdirecteur Jean-Marie Leblanc en de sportdirecteur van Motorola, de Amerikaan Jim Ochowicz. Na anderhalf uur ging de organisatie overstag en liet Zimmermann verdergaan.

Een andere wielrenner had niet zoveel geluk op zijn rustdag. Adolphe Hélière, die ging zwemmen toen het peloton een rustdag had op Quatorze Juillet en met een giftige kwal in aanraking kwam, overleed. Hij is de geschiedenis ingegaan als de eerste renner die in de Tour de France omkwam, en voorlopig de enige die dat overkwam zonder dat er een fiets in de buurt was.

ETAPPE 10 • Dinsdag 9 juli

Start Saint-Gildas-des-Bois
Aankomst Saint-Malo
Afstand 193 kilometer
Streek Pays de la Loire, Bretagne
Bijzonder In 1980 won de geweldige tijdrijder
  Bert Oosterbosch – op jonge leeftijd over-
  leden – na een korte, felle solo de etappe
  naar Saint-Malo.

BOOGERDS BLIK

Na een superzwaar weekend in de Pyreneeën en een lange ver-
plaatsing volgt er een rustdag in Saint-Nazaire, aan de kust.
Meestal is het andersom: dan krijg je dit gedeelte van Frankrijk
in het begin van de Tour, voordat je de Pyreneeën en de Alpen
in gaat. Als je de rit zo ziet, zou je zeggen dat het op een massasprint uitdraait. Dag na de rustdag, aanvalletje, alles wordt teruggepakt, massasprint. Rustig ritje, simpel. Maar voor hetzelfde geld wordt dit een van de spectaculairste ritten van de Tour.

Je gaat namelijk ineens naar een streek waar het volledig
anders koersen is. Saint-Malo ligt aan de kust, dan weet je het
al. Veel wind, dat wordt afzien. En het is sowieso al listig, omdat het de dag na de rustdag is. Voor je het weet, heb je zomaar
een ordinaire waaierrit na de bergen. Met alle valpartijen en
listigheid van dien. Ik zou er niet gerust op zijn. De sprinters
zullen het op een massasprint willen laten aankomen, die
hebben een paar dagen drooggestaan. Niemand zal dus veel
ruimte krijgen. Maar er zal altijd gedemarreerd worden. Als
er wind staat in de finale, is dat ook lastig met wringen en zo.
Dit kan zomaar een heel snelle etappe worden, gevaarlijk en
dus belangrijk voor het klassement.

TOURHISTORIE • De langste etappe ooit

Op 7 juli 1919 werd de langste etappe in de geschiedenis van de Tour gereden: maar liefst 482 kilometer langs de Atlantische kust, van Les Sables-d'Olonne naar Bayonne. Het was de eerste wedstrijd na de Eerste Wereldoorlog. 67 renners gingen van start, slechts elf van hen bereikten de finish, het laagste aantal in de geschiedenis van de ronde. De dag voordat deze editie in de velodroom Parc des Princes in Parijs van start ging, ondertekenden de grote Europese machten het vredesverdrag dat Duitsland transformeerde tot een militaire dwerg. Het verdrag werd ondertekend op het kasteel van Versailles, een paar kilometer van de velodroom. Frankrijk kreeg het gebied Elzas-Lotharingen terug, waardoor de Tour de France weer via Metz en Straatsburg kon gaan. Het parcours telde in totaal 5560 kilometer, ongeveer 2000 meer dan tegenwoordig. De fietsen waren veel zwaarder, de infrastructuur was een verschrikking. De renners reden door een platgebombardeerd landschap.

Er was gebrek aan van alles, vooral aan staal en rubber, wat tot gevolg had dat vele renners die zich hadden aangemeld niet aan de start verschenen – ze hadden niet eens fietsen. Alsof dat nog niet erg genoeg was, sloeg het weer om en bracht kou en hevige regenval. Nadat de eerste drie etappes naar Normandië en Bretagne waren afgelegd, waren er nog slechts 26 renners in koers.

De Fransman Jean Alavoine won de langste etappe; hij werd tweede in het eindklassement, één uur, 42 minuten en 54 seconden achter de winnaar, Firmin Lambot uit België. Alavoine won in totaal zeventien etappes in zijn Tourcarrière, in 1919 won hij er vijf.

DEMARRAGE •
Manchester United van de wielersport

Het Britse wielrennen heeft zich de afgelopen jaren explosief ontwikkeld en is het resultaat van systematische initiatieven en de goede resultaten die British Cycling heeft bereikt. Het idee voor een profploeg ontstond tijdens de Commonwealth Games in Melbourne, in 2006. Dave Brailsford, die tegenwoordig ploegleider is, was toen directeur van British Cycling. Samen met Shane Sutton, die destijds de nationale ploeg trainde, lanceerde hij het idee van een profploeg. De medailles begonnen binnen te stromen, in eerste instantie bij de baanrenners, maar er ont-

stond ook een veelbelovende groep mannelijke en vrouwelijke wegrenners die zich handhaafden aan de top.

Als onderdeel van de ontwikkelingen werd de British Cycling Academy geïntroduceerd, waar talentvolle Britse renners de mogelijkheid kregen om zich te ontwikkelen met steun van de beste vaklui op verschillende terreinen. De Academy werd gevestigd in Manchester bij de velodroom, en kreeg een basis op het Europese vasteland in Toscane. Mark Cavendish was een van de renners in de eerste cohort van de academie.

> **VIVE LA FRANCE • Saint-Malo**
>
> Op een in zee uitstekende rots is Saint-Malo gebouwd. Deze buitengewone ligging drukte een stempel op bewoners en geschiedenis van de stad. Saint-Malo werd in 1944 tijdens de Tweede Wereldoorlog zo goed als totaal verwoest. Door de fraaie restauraties is daar weinig van terug te zien. Het is niet alleen een drukke haven, maar ook een befaamde badplaats. Saint-Malo is omringd door stadswallen, die men in de twaalfde eeuw begon te bouwen, maar die pas in de achttiende eeuw werden voltooid. Een wandeling over deze stadswallen is een aanrader. Ook zijn in de stad een prachtig kasteel, een beroemde toren (Quic-en-Groigne) en een bijzondere kathedraal (Saint-Vincent) te bezichtigen.

Johan Kaggestad – voormalig coach bij het Noors olympisch comité en al jaren als tv-commentator in de Tour voor de zender TV2 – heeft het centrum in Manchester bezocht en is onder de indruk van de systematiek in de aanpak en het gezondheidsdenken. Gedrevenheid en onderzoek gaan hier hand in hand, niets wordt aan het toeval overgelaten. De vakmen-

> **TOURHISTORIE • Ritwinnaars in Saint-Malo**
>
> | Jaar | Renner | Land |
> | --- | --- | --- |
> | 1949 | Ferdi Kübler | Zwitserland |
> | 1956 | Joseph Morvan | Frankrijk |
> | 1960 | André Darrigade | Frankrijk |
> | 1962 | Emile Daems | België |
> | 1967 | Walter Godefroot | België |
> | 1974 | Patrick Sercu | België |
> | 1980 | Bert Oosterbosch | Nederland |

sen van British Cycling hebben een centrale rol in de ontwikkeling van de profploeg.

De filosofie van de ploeg is gebaseerd op het idee dat de renners in het middelpunt staan, en niet, zoals bij zoveel andere ploegen, een noodzakelijk 'instrument' zijn. In juli 2008 werd Sky gepresenteerd als hoofdsponsor voor British Cycling, en tijdens de Olympische Spelen in Beijing werd Groot-Brittannië het beste fietsland, met zeven gouden en zeven zilveren medailles. De systematische aanpak werkte.

Op 26 februari 2009 werd het profconcept gepresenteerd voor de media, en op 23 november verzamelden de renners zich voor de eerste bijeenkomst in het fietscentrum in Manchester. De ploeg bestaat vanaf de start uit een mix van Britse en buitenlandse renners. Maar het Britse succes is het hoofddoel. Dave Brailsford was geobsedeerd door het idee dat er eindelijk een Britse renner op het erepodium op de Champs-Élysées zou staan – in de Tour de France gaat het tenslotte om dat eindklassement. Bradley Wiggins maakte die droom vorig jaar waar.

Waarom de vergelijking tussen Sky en Manchester United? Allereerst is wielrennen een teamsport, en de kunst is om al die specialisten harmonisch te laten samenwerken. Beide ploegen hebben hun hoofdzetel in dezelfde stad, hoewel het wielercentrum een atletiekbaan van Manchester City is, en niet op Old Trafford ligt. Maar United is erin geslaagd het Britse enthousiasme aan te wakkeren. Het team heeft traditioneel een solide basis van de beste Britse spelers, aangevuld met talentvolle buitenlanders als Robin van Persie. Net als de wielerploeg, waarin bijvoorbeeld de Noor Edvald Boasson Hagen en de Australiër Richie Porte een belangrijke rol spelen. De overeenkomst is ook te vinden in de leiderschapsstijl van manager Alex Ferguson in het voetbalteam en Dave Brailsford in de wielerploeg. Ze stralen vastberadenheid en duidelijkheid uit. Misschien de belangrijkste leiderskwaliteit. Daarnaast hebben ze allebei het briljante vermogen om talent te ontwikkelen.

ETAPPE 11 • Woensdag 10 juli

Start Avranches
Aankomst Mont Saint-Michel
Afstand 33 kilometer (individuele tijdrit)
Streek Basse-Normandie
Bijzonder In startplaats Avranches bemachtig-
de de Italiaanse topsprinter Mario Cipolli-
ni in 1993 voor het eerst de gele trui, na
winst in de ploegentijdrit met GB-MG.

BOOGERDS BLIK

Vaak is de eerste tijdrit in de Tour vóór de eerste bergrit. Nu
niet, daarom zal het klassement al voor deze korte tijdrit een
beetje gevormd zijn, na een zwaar weekend in de Pyreneeën.
En op een afstand van maar 33 kilometer zullen de verschillen
sowieso niet heel groot zijn. Toch kan het nog wel een lastig
tijdritje worden, het water in naar Mont Saint-Michel.

Froome heeft vorig jaar al laten zien dat hij in tijdritten niet
hoeft te verliezen ten opzichte van Contador. Zeker als Wiggins zich er niet te veel mee zal bemoeien, wat hij hier en daar
al heeft aangekondigd, kan het een heel leuke Tour worden. De
verschillen kunnen langer klein blijven, omdat de besten elkaar als tijdrijder niet veel ontlopen. Froome, Contador, Nibali
– dat kan binnen één aanval in de bergen blijven. En dus kan
er in een tijdrit als deze wel spel zijn om de gele trui.

WIELERTAAL • Duikboten

Op tijdritgebied zie je tegenwoordig enorme aandacht voor
het materiaal. Je had vroeger al Miguel Indurain of Bjarne
Riis, die met vernieuwingen kwamen. Maar die mannen za-

ten heel anders op de fiets dan nu. Er is een tijd geweest dat renners met een klein voorwiel mochten rijden. Van die 'duikboten' kreeg je dan. Dat is nu verboden, er is een aantal restricties aan de fietsen.

Triatleten mogen bijvoorbeeld nog altijd voor hun bracket zitten, wielrenners niet meer. Van de punt van het zadel naar bracket moet er een bepaalde afstand zijn, voor iedereen gelijk. Je kreeg een periode waarin veel fietsen werden afgekeurd. Toen werd er steekproefsgewijs gemeten, tegenwoordig meten ze iedereen. Kom je bij het podium en wordt je fiets gemeten met een soort winkelhaak. Dat kon wel eens stress geven. Werd je fiets afgekeurd en moest je terug. Ik heb dat zelf nooit gehad.

Tegenwoordig moet alles licht en stijf zijn. Iedereen die maar ergens een klein beetje voor een klassement gaat, moet altijd een paar keer per jaar in de windtunnel trainen. Ik geloof wel dat het z'n vruchten afwerpt. Je doet niet meer mee als je het niet doet. Ze kijken nu met wattagemeters precies in welke houding je de hoogste wattages kunt rijden. Ook bij Blanco, het vroegere Rabo, heeft de ontwikkeling van het materiaal een enorme vlucht genomen. Toen ik stopte in 2007, reden we nog niet met het lichtste, beste materiaal. Ik denk dat ze dat nu wel voor elkaar hebben.

Ik heb in 1999 ook wel eens in een windtunnel gezeten, ergens in de Flevopolder. Dat ging nog even anders. Je zat op zo'n Tacx en moest heel rustig trappen. Wattages konden ze nog niet meten; bij mij keken ze alleen naar de meest aerodynamische houding. Ik moest naar beneden kijken en een petje opzetten, met de klep naar binnen gedraaid. Ze konden me in een grafiek precies de windstromen laten zien. Zadel hoger, stuur naar beneden. Fiets afgesteld in de meest aerodynamische houding. Ik moest het maar gaan uitproberen op de weg. Maar ik kon in die houding helemaal geen kracht zetten. Ik zat op de fiets als een idioot. Het had helemaal geen nut, die windtunnel. Dus toen heb ik mijn fiets gauw weer in de oude positie teruggezet.

Nu doen ze dat beter, door te kijken naar het vermogen dat je kunt leveren in een bepaalde aerodynamische houding. Lekker zit het nooit, zo'n tijdritfiets. Die jongens trainen daarom ook veel op tijdritfietsen. Dat heeft zeker nut, zelf deed ik dat ook al. Je went aan de houding en trainen moet je toch. Ik denk dat het goed is om minimaal één keer in de week op dat ding te rijden. Materiaal en de juiste positie, daar is de laatste jaren zoveel meer aandacht voor. Dat maakt het ook wel leuk, de zoektocht daarnaar.

WIELERTAAL • Stilisten

Ga je op de limiet zitten van wat mag, wat is nog lekker? Als je Cancellara of Wiggins neemt, dat ziet er allemaal heel mooi uit. Maar of ze nou helemaal 'gedoken' zitten? Tony Martin vind ik nou niet het toonbeeld van aerodynamica. Toch gaat hij het hardst. Die gasten zijn daar serieus mee bezig. Ik vind het interessant om te zien. Zeker als je afzet tegen Rodríguez of een andere klimmer.

Neem Froome, hoewel die vorig jaar twee heel goede tijdritten reed in de Tour. Als een leek zou ik zeggen: die Froome zit helemaal niet goed op zijn tijdritfiets. Maar hij zal ook wel in een windtunnel hebben gezeten, of op de baan hebben gereden. Sky laat over het

VIVE LA FRANCE • Mont Saint-Michel

Het kleine rotsachtige schiereiland Mont Saint-Michel is decor in veel (strip)boeken en films. Oorspronkelijk was het een bergje in een bosrijk gebied dat dicht bij de kust lag en niet beschermd werd door duinen. Bij een vloedgolf werd het bos verwoest en een deel van de grond spoelde weg naar zee. Hierdoor werd het land waar vroeger bos lag, net laag genoeg om door de zee bij vloed overstroomd te worden. Het bergje werd een eiland waarop men een abdij gebouwd heeft. Mont Saint-Michel is uitsluitend toegankelijk voor voetgangers, behalve voor deze elfde etappe in de Tour de France. In 1979 werd Mont Saint-Michel met abdijcomplex en de omliggende baai uitgeroepen tot werelderfgoed door de UNESCO.

algemeen weinig aan het toeval over. Toch weet ik zeker dat veel oud-renners, de generatie vóór mij, zouden zeggen dat die Froome helemaal niet goed op zijn tijdritfiets zit. Zeker als hij eens een keer vierentachtigste zou worden in plaats van tweede. Op zijn wegfiets zit hij trouwens ook niet goed, als je het mij vraagt.

Vroeger zette je het zadel zo hoog mogelijk en je stuur zoveel mogelijk naar beneden. Dat was dan mooi. Michele Bartoli, wat zat die gozer mooi op z'n fiets. Nu is dat heel anders. Je ziet er maar weinig die mooi op hun fiets zitten. David Millar zit goed op zijn fiets, Thomas Dekker, Alberto Contador. Ik vind Valverde goed zitten, type van de echte wielrenner. Gaat ook vaak staan in de bergen. Maar Gilbert vind ik niet mooi op zijn fiets zitten. Evans zit heel erg gedrongen. Andy Schleck kan beter. Mollema en Gesink springen er ook uit in negatief opzicht. Lars Boom zit wel mooi op zijn fiets, Niki Terpstra ook. Maar het summum is Filippo Pozzato, dat is een echte stilist. Leuk om te zien. Maar het gaat erom dat het hard gaat.

DEMARRAGE • Rinus

We hadden in de ploeg een masseur die Carl Israel heette. Wij noemden hem 'Rinus', naar de voetballer en trainer van Feyenoord natuurlijk. Ik herinner me een rit waarin we finishten in Avranches en zouden slapen in Mont Saint-Michel. Tijdens de koers hadden we ergens de truck van 'Rinus' zien staan, we reden op een viaduct over hem heen of zo. 'Hoe kan het nou dat hij daar staat,' riepen wij nog. 's Avonds bij het hotel was Piet, de buschauffeur, over de zeik. 'Verdomme die Rinus is er nog niet, waar blijft die gozer nou?' Het was al laat, het werd donker. Iedereen wilde aan tafel.

We zaten uiteindelijk al te eten toen toch nog Rinus binnenkwam. Verkeerd gereden, te laat, stress. Maar hij wilde niets laten merken. 'Wat staat er op het menu, jongens?' vroeg hij cool. Iets met zalm of zo. Rinus vertelde geroutineerd dat hij ooit van Cees Priem had geleerd dat je geen vis moest eten als je niet aan de kust zat. Zegt Geert Leinders, onze arts, zo heel droog: 'Carl, kijk eens uit het raam jongen.' We zaten in een hotel in Mont Saint-Michel. Recht boven zee, bijna ín het water. Iedereen lag dubbel. Wielerhumor, ook dat is de Tour.

ETAPPE 12 • Donderdag 11 juli

Start Fougères
Aankomst Tours
Afstand 218 kilometer
Streek Bretagne, Centre
Bijzonder Léon van Bon won in zijn rood-wit-
blauwe kampioenstrui een rit naar Tours
in 2000.

BOOGERDS BLIK

Een rit naar Tours betekent massasprint, kan bijna niet anders. Kijk naar de klassieker Parijs-Tours, die ook vaak wordt
gewonnen door een sprinter. En in de Tour de France hebben
de topsprinters het er helemaal op staan. Cavendish, Greipel,
Kittel – ze weten dat ze het de komende dagen moeten gaan
doen. Want in de slotweek heb je de Ventoux, een tijdrit en de
Alpen. Dan valt er vrij weinig meer te sprinten, en moeten ze
zien te overleven tot de laatste dag in Parijs.

DEMARRAGE • Guts

Als ploeg hebben we veel goede herinneringen aan Tours.
Marc Wauters heeft een keer de klassieker Parijs-Tours gewonnen, Erik Dekker en Óscar Freire ook. En in Tours won
Léon van Bon in 2000 een rit in de Tour. Het was onze eerste
ritzege dat jaar, nog voordat Erik Dekker ging excelleren met
zijn drie ritzeges. We hadden al vroeg in die Tour goed gereden in de ploegentijdrit. Vijfde of zo, we zaten er lekker in. Die
dag vertrokken ze als idioten, volle bak. Er reed al snel een
grote kopgroep weg met drie man van ons: Marc Wauters,
Markus Zberg en Léon van Bon, in zijn trui van Nederlands
kampioen.

'Soldaat' Wauters deed veel werk onderweg, Van Bon zou de spurt aantrekken voor Zberg, normaal de rapste van de drie. Maar ik denk dat Léon zijn beentjes eens goed had gevoeld. Hij dacht waarschijnlijk: ik krijg niet zo heel veel kansen in de Tour, 'Bono' gaat vandaag toch echt een keer voor eigen kans rijden. En terecht. Er zat een rappe Fransman bij, Emmanuel Magnien. Léon gaat aan en Zberg komt er nooit meer overheen. Vond ik wel mooi. Het was feest bij ons. Van Bon was echt een renner die zich daar op bepaalde dagen toe kon zetten. Hij reed heel goed toen.

In 2005 zijn we nog eens naar Tours gereden, met van onze ploeg Erik Dekker en Karsten Kroon voorop. Dekker reed

---

VIVE LA FRANCE • Tricolore

De Franse vlag werd in 1790 ontworpen met de kleuren blauw, wit en rood, en staat sindsdien bekend onder de naam tricolore. Blauw is de kleur van de heilige Saint Martin (Sint-Maarten) van Tours (316-397). Als officier van het Romeinse leger kwam hij op een winterdag een bedelaar tegen in de Franse stad Amiens. Bij de aanblik van de verkleumde zwerver scheurde Martin zijn blauwe officiersjas in tweeën en gaf de ene helft aan de bedelaar. Die nacht droomde Martin dat Jezus zijn halve blauwe jas droeg. In de droom zei Jezus tegen de engelen: 'Hier is Martin, de Romeinse soldaat die nog niet is gedoopt, hij heeft mij gekleed.' Martin werd gedoopt, gaf zijn militaire carrière op en eindigde als bisschop van Tours. Tegenwoordig is Saint Martin een van de beroemdste heiligen van het rooms-katholieke geloof. De kleur blauw staat symbool voor naastenliefde en de verantwoordelijkheid van de rijken voor het welzijn van de armen.

Wit is de kleur van Jeanne d'Arc. Onder het witte vaandel leidde zij de Fransen naar de opstand tegen de Engelse bezettingslegers tijdens de Honderdjarige Oorlog. Ook Jeanne d'Arc is een heilige uit de canon van het rooms-katholieke geloof.

Rood is de kleur van Saint Denis, patroonheilige van Parijs. Denis was in de derde eeuw bisschop van Parijs. Tijdens de vervolging van de christenen werd hij terechtgesteld en onthoofd. De legende gaat dat hij met het hoofd in de handen van het schavot naar zijn graf liep. Daarom wordt hij vaak afgebeeld met zijn hoofd in de handen.

toen een sterke finale. Hij had het jaar daarvoor op een mooie manier Parijs-Tours gewonnen, heel de dag voorop gereden. Hij blaakte van de moraal. 'Ik ga vandaag aanvallen,' zei hij 's ochtends. Dat deed hij ook. Kroon zat mee, Dekker zat mee. Lastige finale met van die klimmetjes uit Parijs-Tours. In de finale is Dekker nog weggereden, maar hij werd teruggepakt. Wel pakte hij nog de bergtrui.

Ik zie 's avonds nog Bert Heemskerk, toen de baas van de Rabobank, in een bolletjestrui de eetzaal van ons hotel binnenstappen. Een Mercure was het. Heemskerk ging achter mij staan, legde zijn handen op mijn schouders en sprak de legendarische woorden: 'Erik, wat verdomde knap van je dat je die bolletjestrui hebt gepakt.' Dus ik was Dekker. Zijn vrouw was ook bij hem, met een Rabo-petje op. Toen ze weggingen, stond ze nog even stil in de deuropening. 'Nou, boys, kom op morgen. No guts, no glory!' Dat was lachen, je kon ons wegdragen. Maar het was ongetwijfeld goed bedoeld.

TOURHISTORIE • Ritwinnaars in Tours		
Jaar	Renner	Land
1955	Jean Brankart	België
1957	André Darrigade	Frankrijk
1961	André Darrigade	Frankrijk
1970	Marino Basso	Italië
1992	Thierry Marie	Frankrijk
2000	Léon van Bon	Nederland
2005	Tom Boonen	België

FACTS & FIGURES • Bjarne Riis

Bepalend voor een ploeg is dat iedereen hetzelfde doel nastreeft. Als een ploeg wil slagen, moeten de specialiteiten benut worden voor dat gemeenschappelijke doel. Voorwaarde is dat elke renner zijn verantwoordelijkheid en rol binnen de ploeg kent, zowel individueel als in samenspel met zijn ploegmaten. Het is altijd een uitdaging om verschillende mensen constructief te laten samenwerken. Conflicten zijn een voorwaarde voor de ontwikkeling, zolang die constructief worden opgelost. Dat dit lang niet altijd gebeurt, laten tal van voorbeelden uit de wielerhistorie zien.

In het succesjaar 2008 was er heibel bij CSC, toen Carlos Sastre de beslissende rit naar de Alpe d'Huez won. Het smeulde al een tijdje tussen de broertjes Schleck en Sastre.

Ploegleider Bjarne Riis had er zijn handen aan vol om zijn toprenners samen te laten werken, om zich aan elkaar aan te passen, en alles te doen in het belang van de ploeg. Kleine irritaties, onaangenaamheden en onenigheden doken op tussen de twee kampen en zouden de moraal verpesten als ze niet op de goede manier werden aangepakt. De ploegen van Riis golden als voorbeeld als het gaat om systematische teambuilding, om het beste uit elkaar naar boven halen. Gezamenlijk formuleerden de renners negen spelregels die ze zouden naleven:

- Eerlijk zijn
- Loyaal zijn
- Respect tonen voor elkaar
- Structuur hebben in wat we doen
- Zelfvertrouwen hebben
- Tolerant zijn
- Vertrouwen hebben in elkaar
- Openlijk communiceren
- Focussen op constante verbetering

De regels werden actief gebruikt om de samenwerking te versterken. Sastre, een individualist, wilde niet dezelfde koersen rijden als de anderen. Hij wilde – als het even kon – zelfs het liefst niet mee op trainingskamp met de anderen. Voor de Tour van 2008 gaf Riis aan dat Sastre de beschermde renner van de ploeg was. Toen de ronde het einde naderde, lag een conflict tussen Sastre en de broertjes Schleck op de loer. Ze wisten niet wat ze aan elkaar hadden. Sastre vond dat de broers alleen maar voor elkaar reden. De broers spraken dit tegen en zeiden dat hij spoken zag.

De situatie werd onhoudbaar en Riis riep Fränk Schleck en Carlos Sastre bij zich voor een gesprek. Fränk stond er van de csc-renners het beste voor in het klassement. Het gesprek werd afgesloten met de wederzijdse belofte dat ze voor elkaar zouden rijden. En zo gebeurde het dat Fränk na de etappe naar Prato Nevoso de gele trui overnam. Drie dagen later zou de ronde op de Alpe d'Huez worden beslist. Het werd een gedenkwaardige rit.

Bij het begin van de laatste beklimming rijdt Fränk Schleck in de gele trui met Sastre aan zijn zijde. Dan demarreert Sastre, zoals afgesproken, hij komt op voorsprong en bouwt die langzaam uit, waarna hij de etappe wint met 2 minuten en 3 seconden voorsprong op Samuel Sánchez en Andy Schleck. Sastre neemt de gele trui over en de voorsprong blijkt voldoende te zijn voor de eindoverwinning. Fränk Schleck staat tweede na de etappe, maar vindt het moeilijk om blij te zijn met het succes van de ploeg. Hij verliest immers zelf de gele trui. Maar achteraf blijkt het de juiste beslissing te zijn om te rijden voor Sastre. Fränk was te zwak om in de slottijdrit vol te houden, de zege van de ploeg was het belangrijkst.

Later dat seizoen barstte de bom tussen Sastre en Riis. Tijdens de Vuelta vernedert Contador de concurrenten, en Sastre uit zijn frustratie over Riis in een lang interview met *El País*. Hij beschuldigt Riis ervan hem niet op waarde te schatten en hem psychisch te vernederen. Met de samenwerking was het over en uit.

ETAPPE 13 • Vrijdag 12 juli

Start Tours
Aankomst Saint-Amand-Montrond
Afstand 173 kilometer
Streek Centre
Bijzonder Saint-Amand-Montrond, de gouden
stad genoemd, is gespecialiseerd in de
handel in goud en juwelen.

BOOGERDS BLIK

In deze rit gaat het op en af allemaal, zonder grote moeilijkheden. Ze zullen rijden voor een massasprint, maar je gaat zeker ook een ontsnapping krijgen. Helaas is alles met de oortjes tegenwoordig supergeregisseerd. Een paar jaar geleden hebben ze een test gedaan zonder oortjes. Om te kijken of het zo aantrekkelijker werd, of dat er anders gereden zou worden. Maar ook toen was er de hele dag controle. Ik ben bang dat het onvermijdelijk is.

Een beetje slimme renner weet zelf ook wel hoe groot de voorsprong is en hoe hard je dan moet rijden. Ook in de Tour komt de motor met tijdsverschillen vaak genoeg langs. Maar de oortjes hebben zo'n vlucht genomen dat de meeste renners, zeker van de generatie na mij, ermee zijn

---

VIVE LA FRANCE • Gouden stad

Deze Cité de l'Or, gouden stad, staat bekend om de handel in goud en juwelen. De streek rondom Saint-Amand-Montrond is rijk aan Gallo-Romeinse overblijfselen. In de nabije omgeving, in de plaats Bruère-Allichamps, bevindt zich de beroemde abdij van Noirlac. Deze prachtige abdij is in de twaalfde eeuw gesticht. Ieder jaar in de zomer wordt het festival van Noirlac gehouden met internationale ontmoetingen van zangkunst. Dit jaar vinden de evenementen plaats van 22 juni tot en met 20 juli 2013.

opgegroeid. Ze kunnen niet anders dan met oortjes koersen. Dat geldt zeker voor de klassementsrenners. Dus heb je meestal een massasprint in een overgangsrit als deze, die op zich best uitdagend zou kunnen zijn voor de klassementsren- ners.

WIELERTAAL • Oortjes

Mannen als Philippe Gilbert zie je nog wel eens teruggaan naar de auto's om te praten. Zij vinden het wel mooi om nog een beetje op de ouderwetse manier te koersen. Gilbert is niet voor niets wereldkampioen geworden; bij een WK zijn oortjes verboden. Maar bij een renner als Wiggins is alles zo gepro- grammeerd. Dat soort jongens wil alles weten en rijdt alleen nog maar met oortjes. Als het niet werkt, zie je dat ze meteen zwaar in paniek slaan.

Het gevolg voor dit soort ritten is dat de ploegen die op een massasprint aansturen, precies weten wat ze doen. 'Het lijkt wel of ze met gps rijden,' zeggen commentatoren vaak. En zo is het ook. Ze rekenen tot op de minuut uit waar ze de vluch- ters gaan terugpakken, je kunt er de klok op gelijk zetten. Dat is wel jammer van die oortjes. Een beetje nerveuze rit zou veel interessanter zijn zonder oortjes. Dan moet je toch zelf oplet- ten wie er meezitten, en wat de voorsprong is.

Vroeger werd er net zoveel gedemarreerd als nu in dit soort ritten. Alleen had je altijd een moment van twijfel in het pelo- ton. 'Wat doen we?' Even overleggen. 'Weet jij wie er meezit?' In die paar minuten had de kopgroep even tijd om afstand te nemen. Nu kan er veel sneller worden gereageerd. Daarom duurt het soms ook zo lang voordat er een kopgroep weg is.

Ze zenden tegenwoordig alles van voor tot achter uit. De meeste ploegleiders, vaak oud-renners, zien eerder wat er aan de hand is dan de renners zelf. Als je in het peloton rijdt, zie je sowieso minder dan in de ploegleidersauto. Iemand anders stuurt, de ploegleider kijkt op het scherm. De meeste ploegen

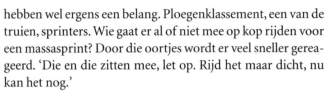

hebben wel ergens een belang. Ploegenklassement, een van de truien, sprinters. Wie gaat er al of niet mee op kop rijden voor een massasprint? Door die oortjes wordt er veel sneller gereageerd. 'Die en die zitten mee, let op. Rijd het maar dicht, nu kan het nog.'

Soms zie je nog wel een vlaag van ouderwets koersen. Vorig jaar werd in de rit naar Pau een keer knoert- en knoerthard gereden. De ploeg van Bjarne Riis, met Karsten Kroon erbij, ging een beetje bluffen. Er reed iemand van hen – ik geloof Nicki Sørensen – tussen de kopgroep en het peloton, die er niet bij ging komen. Kroon zei toen in het peloton tegen jongens van de ploegen die iemand in de kopgroep hadden: 'Als jullie niet zorgen dat ze hem erbij laten komen, gaan wij het dichtrijden.' Van voren hebben ze toen de benen stilgehouden. Vond ik wel een sterk staaltje. Zo had het vroeger ook kunnen zijn. Het mooiste blijft toch als renners zelf met een of ander geniaal plan komen.

Aan de ene kant zorgen oortjes voor meer veiligheid. Natuurlijk is het makkelijk als je kunt roepen dat je naar achteren komt om drinken te halen, en daar zetten ze alvast twee water en twee dorstlessers voor je klaar. Je komt bij de auto en krijgt gelijk wat je wilt. Maar ik vind het leuker om de renners uit te dagen zelf na te denken. Kijken wanneer je je kunt laten zakken, zelf bezig zijn met de koers. Die charme is er een beetje af.

Aan de andere kant is het niet alléén maar veiliger met die oortjes. Feit is dat er de laatste jaren veel meer valpartijen zijn en dat er massaler en harder wordt gevallen. De koers is nerveuzer. Dat komt zeker voor een deel toch door die oortjes. Je moet wel heel sterk in je kop zijn om tegen de wil van je ploegleider in te gaan. Zeker bij sterke persoonlijkheden als een Bjarne Riis of zo. Als die 'naar voren' roept, dan ga je. Soms blijven ze roepen: 'Ik wil je nu van voren zien, ik wil je nu van voren zien!' En ga er maar van uit dat vijftien ploegen op dat moment hetzelfde doen. Dan kun je wachten op ellende.

Tegenwoordig wordt in het wielrennen op elk detail gelet.

Maar denkt iemand er ook over na dat die oortjes kunnen af-leiden? Je ziet renners constant aan dat ding prutsen om te kunnen praten. Dan hebben ze één hand aan het stuur, soms op lastige momenten. Je zit nooit lekker op de fiets. Dat zijn kleine dingetjes die het weer wat gevaarlijker maken.

Sommige renners slaan helemaal in de paniek als ze niet met een oortje mogen rijden. Maar wat te zeggen van de ploeglei-ders? Adri van Houwelingen was bij ons altijd redelijk rustig in de oortjes, Theo de Rooij wat drukker. Erik Breukink deed ook nooit gek. Maar van anderen kreeg je soms midden tijdens de klim de vraag of je even kon vertellen hoe het met Weening ging. Zat je daar af te zien als een beer. 'Mike, zit Weening er nog bij?' Man, wat kon ik dan boos worden. Kijk zelf!

Van Erik Dekker werd je in zijn begintijd als ploegleider helemaal gestoord. Hij zat alleen maar in je oor te tetteren. Je kon merken dat hij net van de fiets was gestapt, hij zat in de auto nog echt mee te koersen. In de sfeer van: 'Niet rijden!', 'Nu wel rijden!', 'Meespringen!', 'Stoppen!' Toen was dat heel irritant, zeker omdat ik de jaren daarvoor met die jongen had gekoerst. Nu zie je in dat je het zelf waarschijnlijk net zo had gedaan. Zo zit ik ook voor de tv met mijn zoontje. 'Meespringen!'

En zo zat Dekker nou eenmaal in de auto. Zat jij te wringen in een klassieker en hoorde je in je oortje dat Kimi Räikkönen de Grote Prijs van Bulgarije had gewonnen. Dat soort dingen moest hij dan even melden. Dekker kon gewoon niet stilzitten in die auto, hij moest iets te doen hebben. Een paar jaar later heb ik eens bij hem in de auto gezeten in de Eneco Tour. Toen was hij een stuk rustiger, viel me op.

Je kunt als renner soms je voordeel doen met oortjes. Zo kun je precies zien welke renners naar de klote zijn. Dan gaat het hard, zie je iemand naar zijn oortje grijpen en begint hij toch te schelden en te vloeken. Omdat zo'n ploegleider natuurlijk zit te roepen: 'Spring nou eens mee, doe nou eens wat!' En als jij niet kan, ben je dat op een gegeven moment zo zat. Dan sla je hele-maal door.

Jens Voigt was een renner die echt zo lekker kwaad kon worden. Dan zag ik hem zitten en wist ik al wat er ging gebeuren. Eerst zat hij steeds harder te schreeuwen en na een tijdje deed hij zijn oortje uit. Als hij zag dat jij dat zag, ging hij helemaal verklaren waarom hij dat deed. 'Die ploegleider is gek geworden, ze zijn allemaal gek geworden.'

ETAPPE 14 • Zaterdag 13 juli

Start Saint-Pourçain-sur-Sioule
Aankomst Lyon
Afstand 191 kilometer
Streek Auvergne, Rhônes-Alpes
Bijzonder De Luxemburger François Faber won
    drie keer op rij in Lyon: in 1908, 1909
    en 1910.

BOOGERDS BLIK

Willen de sprinters nog graag, of nemen ze een halve snipper-
dag? Vanaf de tiende etappe zijn er weer genoeg kansen geweest op een massasprint. Meestal heb je Alpen of Pyreneeën,
en daartussen een paar echte overgangsritten. Dit is wel een
aparte Tour zo. Ik heb het nog nooit zo gedaan, dat ze zich beperken tot een klein rondje Frankrijk. Vandaag komen ze wel
in een lastige streek. Vaak heel warm, finish in een grote stad,
Lyon.

DEMARRAGE • Koekenbakker

Lyon heeft voor mij iets aparts. Het was in de Tour dat die
renner van Kelme in de greppel lag, die alles heeft aangezwen-
geld met die doping bij Fuentes. Jesús Manzano, ja. We reden
die dag Col de Ramaz in de finale en Richard Virenque won in
Morzine. Maar dat was de dag na Lyon, de Tour van 2003. Die
dag zal ik niet snel vergeten.

Ik was in die Tour al vroeg gevallen, had een pak hechtingen in m'n knie. En ik reed al niet zo lekker in die tijd. Zesde
etappe, lastig ritje naar Lyon, het zou uitlopen op een massasprint. Ik zat als een koekenbakker op mijn fiets, was helemaal

VIVE LA FRANCE • Wijn

Saint-Pourçain-sur-Sioule is een gemoedelijk plaatsje in een van de oudste wijngebieden in Frankrijk, waar nog steeds wijn geproduceerd wordt. De beroemde wijnstreek Saint-Pourçain was vroeger geliefd bij de pausen van Avignon. De rode en roséwijnen zijn licht en fruitig, de witte wijnen dragen het keurmerk Appellation d'Origine Contrôlée (AOC). De wijngaarden bestaan uit meerdere druivensoorten, met name de gamay en pinot noir voor de rode wijnen, gamay voor de rosé, en chardonnay en tressalier voor de witte wijnen. Het wijnmuseum is ondergebracht in het schoutenhuis van Saint-Pourçain-sur-Sioule. In de tweede helft van augustus is het wijnbouw- en smulfestival. Santé!

niet lekker. Onze ploeg had nog maar vijf man in koers, toen al. We kwamen van een of andere berg af, reden langs de Seine. Ik zat van achteren, ze trokken van voren zo hard door langs die rivier dat alles op een lint zat. Ik heb zelden van mijn leven harder gereden op een fiets, op een vlakke weg dan. Harder kon ik gewoon niet.

Zelfs achter een auto heb ik nooit zo hard gereden. Ik dacht: dit kan gewoon niet, dit gaat veel te hard, harder fietsen bestaat niet. Op de elf kon ik mijn eigen benen niet eens meer bijhouden. Klaar. Dat was in Lyon. Gelukkig kon ik er net aan blijven hangen. Dat zijn van die dingen

TOURHISTORIE • Ritwinnaars in Tours

Jaar	Renner	Land
1903	Maurice Garin	Frankrijk
1904	Michel Frederick	Zwitserland
1907	Marcel Cardolle	Frankrijk
1908	François Faber	Luxemburg
1909	François Faber	
1910	François Faber	
1947	Lucien Teisseire	Frankrijk
1950	Ferdi Kübler	Zwitserland
1953	Georges Meunier	Frankrijk
1954	Jean Forestier	Frankrijk
1956	Miguel Bover	Spanje
1962	Jacques Anquetil	Frankrijk
1965	Rik van Looy	België
1991	Thierry Marie	Frankrijk
1991	Djamolidin Abdoesjaparov	Oezbekistan
2003	Alessandro Petacchi	Italië

die je altijd bijblijven. Ik zie de situatie zo weer voor me. Zo'n bocht naar rechts, langs het water. Aanzetten, dat je naar voren keek en al dacht: binnen nu en tien tellen zit ik zo verschrikkelijk met mijn hol open, dat wil je niet geloven. En dat klopte ook. Dat was Lyon. En het werd gewoon een massasprint. Gewoon.

VIVE LA FRANCE • Pelgrimsroute

De Tour de France kruist verschillende keren de pelgrimsroute naar de kathedraal in Santiago de Compostela, in Noordwest-Spanje. In de kathedraal bevinden zich relikwieën van de apostel Jakobus. Jakobus was de broer van Johannes en een van Jezus' discipelen. Jezus noemde de broers 'zonen van de donder' en verwees daarmee naar hun onbesuisde temperament. In de Handelingen der Apostelen staat geschreven dat Jakobus de eerste apostel was die een martelaarsdood stierf. Sinds de middeleeuwen zijn pelgrims naar Santiago de Compostela en de kathedraal getrokken. Volgens de legende spoelde de stenen boot met daarin het lichaam van de dode apostel Jakobus aan op de Galicische kust. Jakobus is sindsdien patroonheilige van Spanje.

De kathedraal en de stad zijn samen met Rome en Jeruzalem de belangrijkste pelgrimsbestemming geweest voor de Europese christenen. De afgelopen jaren zijn pelgrimstochten steeds populairder geworden; in 2004 trokken 200.000 pelgrims te voet vanuit verschillende plekken in Europa naar El Camino.

Eén route start in Le Puy bij Lyon, en is 1600 kilometer lang. De meeste moderne pelgrims spreiden de tocht over meerdere jaren. Langs de route zijn pensions en herbergen gebouwd. Alleen al in Spanje schat men dat er 1800 gebouwen zijn, verdeeld over 166 dorpen en steden, die verbonden zijn met de pelgrimsroute. Het Franse deel van de route is in 1998 opgenomen op de werelderfgoedlijst. De vier hoofdroutes door Frankrijk starten in Parijs, Vézelay, Le Puy en Arles.

ETAPPE 15 • Zondag 14 juli

Start Givors
Aankomst Mont Ventoux
Afstand 242 kilometer
Streek Rhônes-Alpes, Provence-Alpes-
Côte d'Azur
Bijzonder De Luxemburger Charly Gaul won in
1958 een klimtijdrit op de Mont Ventoux in
een tijd van 1 uur, 2 minuten en 9 seconden. Hoe hard rijden de renners vandaag?

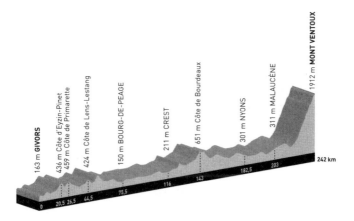

BOOGERDS BLIK

Op de nationale feestdag, 14 juli, een serieuze rit naar de top van de Mont Ventoux. Mag je na ruim twee weken Tour de France een dagje doen van 242 kilometer, gewoon even een wereldbekerklassieker. En nog in de bloedhitte ook, als het even meezit. Lastig daar, constant op en af, veel wind. En natuurlijk een berg waar de grote mannen zich zullen gaan roeren.

De Ventoux kent iedereen, daar zijn zo vaak legendarische aankomsten geweest. Die berg kan spoken. Er kan wind staan, het kan ijskoud zijn of bloedheet. Steil en lang, een dik uur klimmen. Ik had er een haat-liefdeverhouding mee, ben daar nooit heel goed geweest. In de Tour van 2000 hadden we er een kort ritje na de rustdag. Ik was niet goed, zeg maar slecht. Dat was die keer dat Pantani een cadeautje kreeg van Armstrong. Hij was er niet zo blij mee dat Lance hem liet winnen. Maar dat maakte hij een paar dagen later goed door het op eigen kracht nog een keer over te doen in Courchevel.

In 2002 had je een rit die Richard Virenque won. Was ik de dag ervoor voorop geweest in de rit naar Béziers, toen David Millar won. Maar het liep niet lekker. Ze vertrokken hard, er was de hele dag controle. Een paar jongens van ons moesten een dagje op kop rijden vanwege een afspraak met de ploeg-Armstrong in de Amstel Gold Race van 2002. Die mannen waren daar niet echt blij mee. Was een ritje van 230 kilometer. Ze lieten de groep met Virenque lopen, maar hebben de hele dag een ambetant tempo gereden. Ik had zelf een beetje stijve poten, maar kwam er in de finale een beetje door. De klassementsmannen reden vrij hard de Ventoux op, ik kon niet mee en reed m'n eigen tempo. Ik heb eigenlijk maar één keer heel goed de Ventoux opgereden, in de Dauphiné van 1998. Werd ik zesde. Heel slecht weer die dag, ik reed echt goed. Mijn slechtste beklimming van de Ventoux was ook in de Dauphiné, in 2005. Verschrikkelijk afgezien, er kwam geen eind aan.

Echt een killer, die Ventoux. Je hebt geen enkel moment recuperatie. En vaak begint het al ver van tevoren. Dan rij je met een groot peloton als een gek naar Bédoin. Dat is al niet zo breed, steeds op en af, met veel mensen langs de kant, meestal bloedheet. Van Bédoin naar de echte voet begint het nog niet echt, maar is het ook altijd lastig. Zit je op een lint, net alsof je in een achtbaan zit. Heel veel renners worden al gelost voordat de klim begint.

Eenmaal in het bos begint de ellende pas echt. Weinig

zuurstof, lange stukken zonder bocht. Heel zwaar. Je bent blij als je dat bos uitkomt, bij het Chalet Reynard. Voor je gevoel krijg je dan lucht, terwijl er juist weinig lucht is als je zo hoog zit. Maar je voelt de verkoeling van de wind. Vaak waait het er hard, dat is dan weer irritant in dat maanlandschap tot de top. Wie wil aanvallen, moet echt rekening houden met de wind.

Ook qua weersomstandigheden is de Ventoux een heel aparte berg. Elke keer is het anders. Het kan boven serieus koud worden. In de Dauphiné Libéré was het een keer volle bak regen beneden en volle bak regen boven. IJs- en ijskoud. In de Tour van 2000 was het beneden 36 graden, de vrouwtjes stonden in bikini. Boven was het maar 3 graden, het leek wel of het vroor. Ik heb aan de andere kant ook meegemaakt dat het boven ook zo heet was. Geen peil op te trekken.

DEMARRAGE • Zonneslag

In 2002 ben ik voor de Tour in de buurt van de Ventoux op trainingskamp geweest met mijn Amerikaanse ploeggenoot Levi Leipheimer. We zouden eerst de Ventoux op, naar beneden en dan gelijk het eerste stuk verkennen van de volgende rit naar Les Deux Alpes. Ongeveer op het midden van de dag reden we de Ventoux op, best wel vol. Een tijdje zonder drinken gezeten, heet. Beneden was het toen dik 30 en boven ook nog altijd 25 graden. Kreeg ik toch een zonneslag!

Boven wat water gepakt in zo'n winkeltje en naar beneden. Maar ik bleef me slecht voelen, begon te bibberen en te shaken, had het raar. Gewoon veel te hard die Ventoux opgereden. Ik kon niet eens meer op m'n fiets blijven zitten in de afdaling. In Frankrijk heb je wel van die lege waterputten naast de weg staan. Ben ik daar maar in gaan zitten. Met mijn fietskleding aan, puur om af te koelen. Weg uit die rotzon! Uiteindelijk kreeg ik in de gaten dat het vlak bij mijn hotel was. Ben ik daar maar heen gegaan en de rest van de dag op mijn bedje gaan liggen.

WIELERTAAL • Helden

Tom Simpson is in 1967 gestorven op de Mont Ventoux, door het overmatig gebruik van dope en alcohol. Daarom staat er voor hem een monument. Iedere renner van nu eert dat. Ze leggen een petje neer, een bidonnetje, bosje bloemen. Daar is de Ventoux misschien wel het bekendst van. Heel spijtig dat Simpson daar is overleden. Als er een goede arts in zijn ploeg was geweest, zou hij nu nog van zijn kleinkinderen kunnen genieten.

Ik heb veel respect voor de wielrenners van vroeger. Maar ik constateer wel dat er tegenwoordig heel anders wordt gekeken naar renners die vroeger dingen deden dan naar de renners van mijn generatie. Simpson krijgt een monument. Joop Zoetemelk vertelt in zijn boek (*Joop Zoetemelk, een open boek*) dat hij tijdens de Tour de France bloedtransfusies kreeg. Ook van andere sporters is dat bekend. Toch blijven zij nog steeds helden. In mijn ogen is dat ook goed. Alleen vind ik het wel apart om te zien hoe hard er dan nu door sommigen over een andere generatie wordt geoordeeld.

FACTS & FIGURES • Klimtijden Mont Ventoux

1958 TOUR DE FRANCE (INDIVIDUELE TIJDRIT)

PLAATS	RENNER	TIJD	KM/UUR
1	Charly Gaul	1.02.09	(moyenne: 20,756)
2	Federico Bahamontes	1.02.40	
3	Dotto	1.05.02	
4	Brankart	1.05.06	
5	Rohrbach	1.05.32	
6	Planckaert	1.06.01	
7	Anquetil	1.06.18	
8	Anaert	1.06.22	
9	Schmitz	1.07.02	

PLAATS	RENNER	TIJD	KM/UUR
10	Bobet	1.07.03	
49	Piet van Est	1.13.20	
56	Wim van Est	1.14.07	
93	Moucheraud	1.22.22	

1987 TOUR DE FRANCE (INDIVIDUELE TIJDRIT)

PLAATS	RENNER	TIJD
1	Jean-François Bernard	58.08

1999 DAUPHINÉ LIBÉRÉ (INDIVIDUELE TIJDRIT)

PLAATS	RENNER	TIJD
1	Jonathan Vaughters	56.50
2	Aleksandr Vinokoerov	57.33
3	Vladimir Belli	57.34
4	Joseba Beloki	57.42
5	Lance Armstrong	57.52
6	Kevin Livingston	58.16
7	David Moncoutié	58.31
8	Unai Osa	58.52
9	Tyler Hamilton	59.09
10	Roberto Laiseka	59.09

2000 TOUR DE FRANCE

PLAATS	RENNER	TIJD
1	Marco Pantani	58.53
2	Lance Armstrong	59.00
3	Joseba Beloki	59.19
4	Jan Ullrich	59.28
5	Roberto Heras	59.42
6	Francisco Mancebo	1.00.13
7	Richard Virenque	1.00.15

PLAATS	RENNER	TIJD
8	Manuel Beltran	1.00.26
9	Christophe Moreau	1.00.28
10	Kurt Van de Wouwer	1.00.34

2002 TOUR DE FRANCE

PLAATS	RENNER	TIJD
1	Lance Armstrong	58.24
2	Raimondas Rumšas	59.39
3	Ivan Basso	59.42
4	Francisco Mancebo	59.50
5	Joseba Beloki	1.00.07
6	Ivan Gotti	1.00.15
7	Levi Leipheimer	1.00.28
8	José Azevedo	1.00.48
9	Stéphane Goubert	1.01.28
10	David Moncoutié	1.01.43
–	Michael Boogerd	1.03.51

2004 DAUPHINÉ LIBÉRÉ (INDIVIDUELE TIJDRIT)

PLAATS	RENNER	TIJD
1	Iban Mayo	55.51
2	Tyler Hamilton	56.26
3	Óscar Sevilla	56.54
4	Juan Miguel Mercado	57.39
5	Lance Armstrong	57.49
6	Iñigo Landaluze	58.14
7	José Gutierrez	58.35
8	Levi Leipheimer	59.12
9	Michael Rasmussen	59.24
10	Stéphane Goubert	59.27
47	Erik Dekker	1.05.02

TOP TIEN ALLER TIJDEN

PLAATS	RENNER	TIJD	JAAR
1	Iban Mayo	55.51	2004
2	Tyler Hamilton	56.26	2004
3	Jonatha Vaughters	56.50	1999
4	Óscar Sevilla	56.54	2004
5	Aleksandr Vinokoerov	57.33	1999
6	Vladimir Belli	57.34	1999
7	Juan Miguel Mercado	57.39	2004
8	Joseba Beloki	57.42	1999
9	Lance Armstrong	57.49	2004
10	Jean-François Bernard	58.08	1987

DEMARRAGE • Gekkenhuis 2009

Tienduizenden campers en tentjes langs de kant van de weg, een file naar boven en naar beneden, daartussendoor krioelen duizenden fietsers, suizend van de berg af en zwalkend omhoog. Een dag voor de aankomst van de voorlaatste etappe in de Ronde van Frankrijk 2009 is het op de Mont Ventoux één grote chaos.

Koersdirecteur Christian Prudhomme wilde een apotheose van deze Tour op de 1912 meter hoge Reus van de Provence, waar in het verleden wielerhistorie werd geschreven door de allergrootsten. Helaas voor hem was de strijd om de gele leiderstrui al vóór de laatste bergrit beslist in het voordeel van Alberto Contador, die in het algemeen klassement meer dan 4 minuten voorsprong had op nummer twee Andy Schleck. Toch maakte de beklimming van de Ventoux – 21,1 kilometer lang met een gemiddeld stijgingspercentage van 7,6 – evengoed veel enthousiasme los bij honderdduizenden wielerfans uit tientallen landen.

Het dorpje Bédoin, aan de voet van de berg, werd een dag voordat de renners zouden passeren al bedolven onder de wielertoeristen. Jong en oud, dik en dun, lang en kort, man en vrouw. Blinkende racefietsen, gelikte tenues. 'Menu Vélo', spaghetti en cola, is veruit favoriet op de terrasjes. 'De berg hoef je niet meer op te gaan,' zegt een Belgische wielerfan. 'Vanaf het begin van de week is het daar een gekkenhuis met al die campers.' Bovendien is het midden op de dag 35 graden in de brandende zon.

Toch draait onophoudelijk een lang lint de Ventoux op, bij de waterput scherp naar rechts, op de plek waar in 2004 Iban Mayo werd 'afgeschoten' voor een individuele tijdrit in de Dauphiné Libéré. Met een gemiddelde snelheid boven de 23 kilometer per uur knalde de Spanjaard naar een recordtijd van 55.51 minuut. Hij versloeg Tyler Hamilton, die de tweede tijd ooit neerzette. Beiden werden later betrapt op dopegebruik.

De Noorse oud-prof Dag Otto Lauritzen stapt in het begin van de klim uit een auto met op het portier een levensgrote foto van hemzelf, stapt op de fiets en begint met wat gasten aan de eerste nog niet zo steile kilometers. Groenetruidrager Thor Hushovd zorgde dat jaar voor een wielerhype in Noorwegen. Geïmproviseerde campings langs de kant, oranje partytent. Mensen picknicken of zitten op een klapstoeltje te kijken naar de passerende meute.

Op het asfalt en de spandoeken langs de lange, slopende wegen in het bos staat het verhaal van de Tour 2009. 'Allez Pierrick' prijkt boven een levensgrote foto op een Franse camper. Ritwinnaar Pierrick Fédrigo is populair bij zijn landgenoten, die met drie Franse ritzeges het gevoel hebben weer mee te tellen en massaal naar de Ventoux zijn getrokken.

Maar op die gevreesde berg winnen, zoals nationale idolen Raymond Poulidor (1970), Bernard Thévenet (1972) of Richard Virenque (2002), is nog iets anders. Laat staan schitteren zoals Jean-François Bernard, die in 1987 in een tijdrit een supersnelle 58.08 klokte, nog altijd de tiende klimtijd ooit. Hij was de inspiratiebron voor de Amerikaan Jonathan Vaughters, die in 1999 tot 56.50 kwam, nu de derde tijd achter Mayo en Hamilton. Inmiddels wil de baas van de 'schone' ploeg Garmin liever niet meer te veel aan zijn heldendaad worden herinnerd. Doping?

Opvallend is in 2009 het grote aantal Britten langs de kant, voor hun helden 'Brad' en 'Cav'. Mark Cavendish won deze Tour al vijf ritten. Tweevoudig olympisch kampioen achtervolging Bradley Wiggins staat vierde in het klassement, twee plaatsen hoger dan Tom Simpson in 1962. Vijf jaar later overleed die wilskrachtige renner Simpson op de Ventoux. Dat tragische ongeluk vergrootte de legendevorming rond de berg. Twee kilometer onder de top, bij het monument voor Simpson, is het een komen en gaan van fans die bloemen neerleggen of zich laten fotograferen.

Van Australiërs en Nieuw-Zeelanders tot Tsjechen en Roemenen, nergens beter dan op de Ventoux blijkt hoe de wielersport mondiaal leeft. Muziek schalt uit radio's, een Deense fan speelt gitaar. Op tien kilometer onder de top danst een Nederlandse enclave. 'Tankink is god' staat op de weg, maar Bram Tankink doet niet mee. Even later 'Kenny van Hummel', uitgevallen in de zeventiende rit. En vlak onder de top nog een half weggeregend opschrift 'Robert Gesink', begin juni uitblinker in de Dauphiné, maar nu in rit vijf uitgevallen met een polsbreuk.

'Bravo Nocentini' schilderden de Italianen voor hun landgenoot die verrassend een week de gele trui droeg. Voorbij het Chalet Reynard, waar het broeierige bos definitief overgaat in het kale 'maanlandschap', plaat-

TOURHISTORIE • Ritwinnaars op de Mont Ventoux		
Jaar	Renner	Land
1958	Charly Gaul	Luxemburg
1965	Raymond Poulidor	Frankrijk
1970	Eddy Merckx	België
1972	Bernard Thévenet	Frankrijk
1987	Jean-François Bernard	Frankrijk
2000	Marco Pantani	Italië
2002	Richard Virenque	Frankrijk
2009	Juan Manuel Gárate	Spanje

sten Duitse fans de goede prestaties van Andreas Klöden in perspectief, door 'Klödi' boven de eveneens uit de DDR afkomstige 'Ulle' (Ullrich), 'Wese' (Wesemann) en 'Heppe' (Heppner) te schrijven.

In populariteit winnen de Luxemburgse broers Fränk en Andy Schleck moeiteloos op de Ventoux. Overal vlaggen van hun fanclub, namen op de weg. In 1958 was hun landgenoot Charly Gaul, de engel van het hooggebergte, de winnaar van de eerste Touraankomst op de mythische berg. In een individuele tijdrit klokte hij 1.02.09, een tijd die velen vandaag niet zullen halen.

Ook opvallend: weinig supporters voor Lance Armstrong, die nooit kon winnen op de berg die hij 'de lastigste in Europa' noemt. In 2000 liet hij tot zijn spijt Marco Pantani winnen. Nu verdedigt hij zijn derde plaats in het klassement. En rijdt hij vlak voor de laatste steile bocht naar de top over het opschrift 'Solo Contador'.

RUSTDAG • Maandag 8 juli

WIELERTAAL • Waterdrager

Water halen is heel cruciaal in de bergen. Tegenwoordig hebben de meeste ploegen veel meer personeel. Vroeger ging je naar de Tour met drie soigneurs, nu met misschien wel acht. Op cruciale momenten in de koers, boven op de bergen, staan de soigneurs die toch niet meer op tijd bij de finish kunnen komen. Je ziet ze op televisie altijd met bidonnetjes, een pakje voeding, een regenjack als het koud is. Dat is er de laatste jaren meer en meer in geslopen. Ploegen steken daar ook meer geld in.

Je hebt als ploeg maar twee auto's in de koers. De eerste auto blijft altijd bij de kopman, de tweede wagen gaat achter ontsnappingen aan. Dus soms krijg je een situatie met de tweede wagen achter een ontsnapping en de eerste wagen bij de kopman in wat er over is van het peloton. Maar daarachter heb je nog één of twee bussen, rijden renners verspreid. Dan heb je echt een probleem natuurlijk.

In mijn tijd, en daarvoor ook, werden er onderlinge afspraken gemaakt tussen ploegen. Dan hoorde je onderweg dat je bidonnen kon halen bij een andere ploeg, TVM of zo. Maar ook dat is in de huidige tijdgeest anders geworden. Je flikt elkaar waar dat kan. Als ik wel eens met zo'n bekkie zat te kijken naar een andere ploegleider, draaiden ze het raampje open en gaven mij wat te drinken. Tegenwoordig kijken ze de andere kant op en geven ze gas. Het hoeft ook minder, want iedere renner weet dat boven op de berg iemand van de ploeg staat met een bidon, die wacht tot de laatste renner van zijn ploeg is gepasseerd.

Voor een kopman is het belangrijk dat hij op tijd zijn eten en drinken krijgt. Ik reed in de Tour ook wel voor anderen, dan zag je hoe belangrijk de ervaring van goede knechten is. Er zijn jongens die echt voor hun kopman denken: nu is het een goed moment, hup, naar achteren en drinken halen. Sommigen zijn een meester in het halen van drinken. Het klinkt misschien stom, maar dat is een niet te onderschatten kwaliteit.

Ik kan niet over anderen praten, maar in mijn eigen ploeg had je Bram de Groot en Grischa Niermann. Van die jongens kon je altijd op aan. Ze voelden gewoon precies aan wat je nodig had. Soms moest je als kopman tegen iemand zeggen: 'Joh, ga eens drinken halen.' Tegen Niermann en De Groot hoefde dat nooit. Ze kwamen precies op het moment dat jij dacht: ik moet drinken hebben.

Ze konden het ook, water halen. In een vlakke rit is dat vrij makkelijk. Maar in de bergen is het een kunst. Ik deed het zelf ook, als ik soms waterdrager moest spelen voor Rasmussen of Leipheimer in de wat lastiger ritten. Ik ging altijd op moeilijke momenten drinken halen. Dan wist je dat het niet zo'n gedrang was achterin. Dat konden Niermann en De Groot ook goed. Ze deden gerust acht bidonnen in hun zak en kwamen daarmee naar voren gereden zonder er eentje te verliezen.

Iedere waterdrager maakt wel eens mee dat je er zomaar 20 minuten over doet om met je bidonnen voorin terug te komen bij de kopman. En dan neemt de kopman een slok, gooit de bidon weg en zegt: 'Scheisse, meine Fanta ist nicht kalt.' Dat hebben we wel meegemaakt met Rasmussen. Ikzelf ook een keer, in 2005 op de Aubisque.

Ik zat helemaal groggy op de fiets, Rasmussen moest drinken hebben. Ik zat als laatste man te hangen aan het elastiek, hoorde wat geruis in mijn oortje van de ploegleiding. Breukink. 'Boogie, Rasmussen moet drinken hebben.' Het zal niet waar zijn. Ik afzakken, maar net op het verkeerde stuk. Op de

Aubisque heb je een afdaling van een kilometer of acht en dan drie kilometer klimmen op de Soulor. Dat is *killing*.

Ik kom daar beneden met drie bidonnen in mijn zak. Wat trokken ze hard door voorin! Ik kwam niet dichter, niet dichter. Boven op de Soulor schoten ze weer in gang. Dus ik kom weer geen meter dichter bij Rasmussen. En hij was er ook zo eentje die zich geen tien plekken liet terugzakken. Dat was zijn eer te na, jij moest maar bij hem komen.

Op een gegeven moment was ik zowat bij hem. Ik zie hem rijden, pak die bidon alvast. Ik kijk weer voor me. Shit, een bocht! Recht voor me! Hoe ik dat heb overleefd... Ik zie het zo weer voor me. Ik schrok me echt wezenloos. Die bidon valt, ik slip. Ik kon net die bocht houden. Toen was ik zo kwaad. Ik heb die andere bidonnen ook gepakt en gelijk weggeflikkerd! Hij zocht het maar uit met zijn bidon. Dat kon ik dan wel weer doen, met mijn status.

Rasmussen was geen fijne kopman om voor te rijden. Zijn truc was dat hij het vaak zelf niet zo moeilijk had als het bergop semihard ging. 'Ik heb straks boven water en een dorstlesser nodig,' riep hij dan. Maar soms hadden Weening, ik of De Groot het dan al wel lastig. Toch moest je dan gaan halen.

Alles draait bergop om gewicht, zeker bij Rasmussen. Stel je maar voor: rijd je de laatste drie kilometer, aan 10 procent stijging, met twee bidonnen in je zak. In de afdaling kon je er niet makkelijk bij komen, hij moest die bidonnen binnen de laatste kilometer hebben. En dan niet te vroeg, maar precies op de top. En als je er niet op tijd was, werd meneer boos. De Groot of Weening heb ik wel eens horen schelden op Rasmussen.

Hij ging echt geen meter extra rijden met een bidon van een halve kilo. Hij was ook iemand die maar met één bidonhouder reed. Dus dan moest je veel vaker pendelen voor hem. Die gasten werden er gek van. 'Waarom zet je gvd geen tweede bidonhouder erop, dat scheelt ons de helft.'

Andersom heb je ook renners die rekening houden met het

gewicht dat de kopman moet meenemen bergop. Jantje Boven heeft voor mij bij de WK in Verona een keer iedere ronde onder aan de klim mijn bidon overgenomen. 'Boogie, geef je bidon,' zei hij dan. Hij deed hem in zijn zak en gaf die bidon bovenop terug. Zo kan het ook. Ik was nooit zo moeilijk voor die mannen, vergat het ook vaak.

Maar je hebt kopmannen, dat zijn gewoon horken. Die geven nergens om. Dat maakt het er in een ploeg niet leuker op. Je wilt als knecht toch ook waardering. Dat mensen inzien dat waterdragen een vak apart is, en niet zomaar even simpel een bidonnetje halen. Soms heb je echt dorst. Als het dan warm is en op de kant, kan het af en toe echt hard gaan. Je zweet zelf net zo hard als de kopman. Dan is het zo lastig om bidonnen te halen. Of je rijdt door een put en je bidon vliegt eruit. Dat gebeurt. Dat kan een *struggle* zijn, hoor. En niemand ziet het op televisie.

Je ziet vaak renners op dezelfde tijd bidonnen halen, als het een beetje rustig is. Dan heerst er een regel dat je er altijd links of rechts langs mag. Dan roep je: 'Service, service!' Dat helpt altijd wel. Dan gaat iedereen opzij. Al heb je dan ook wel weer van die lamlullen die 'Service!' gaan roepen in de finale.

Op een gegeven moment wordt er ook wel om gelachen, omdat bidonnen halen. 'Zo, daar komt de minibar weer langs.' Bij De Groot en Niermann was dat leuk. Na een week of twee Tour weet je ongeveer wel wat iemand wil. Stel je voor: je zit in het heetst van de strijd af te zien. Ineens komt iemand van je ploeg naast je rijden en vraagt wat je wil drinken. Net of je nog keuze hebt. Bij die twee mannen was het vaak zo dat je dan zei: 'Je hebt vast geen cola.' En dan reageerden zij: 'Natuurlijk heb ik cola bij me.' Lachen.

De Groot maakte daar helemaal een spelletje van. Zeker als het wat rustiger ging, had hij sowieso zijn bidonnen. Hij wist: Boogerd moet een dorstlesser, die moet dit, die moet dat. Maar in een warme rit is een koude cola of Fanta vaak heerlijk. Hij had dus acht bidonnen met water en dorstlesser voor iedereen. Twee op zijn fiets, de rest in zijn zakken. Maar die Bram toverde dan ook nog overal van die blikken vandaan. Vond ik zo mooi altijd.

Vroeger pakte je alles aan wat je kon, ook van de kant. Tegenwoordig heeft iedereen zijn eigen uitgebalanceerde drankje. Wij pakten gerust bij Carrera zo'n drankje, of bij een andere ploeg. Als je maar wat te zuipen had. Dat had nog een voordeel ook, want soms dacht je: dat is lekker! Van je eigen ploeg kreeg je anders altijd maar hetzelfde spul.

In de ploeg had je ook een competitie. Zo van: hij had vandaag negen bidonnen bij zich, hij tien. En bij die mannen kon je er altijd van op aan dat ze nog iets extra's bij zich hadden. Dan zag je dat lachje zo van: Fantaatje? Ook van voeding wisten ze precies wat je wilde hebben. Ik dronk altijd van die gelletjes. Maarten den Bakker heeft me een keer in een laatste alles-of-nikspoging zo'n ding gegeven. Toen hadden we een bepaald merk, met colasmaak. Niet te zuipen, we hebben het maar een halfjaar gehad. Als je het dronk, sloeg het meteen in je poten. Er zaten zoveel suikers in! Ik zie zo Den Bakker op hangen en wurgen naast me komen rijden: 'Hé Boogie, hier nog zo'n colading!' Betrouwbare mensen in de ploeg zijn alles.

DEMARRAGE • Remmert

In de Tour 2003 ben ik een keer vreselijk uitgevallen tegen mijn ploeggenoot Remmert Wielinga. Het was een heel lastige bergrit, naar Alpe d'Huez. In het begin zaten er gelijk drie of vier klimmetjes in van de derde categorie. Stelde op zich niet veel voor, maar er werd keihard gereden uit het vertrek. Echt niet normaal. Het lag gelijk aan honderd stukken. Eerste renner die gelost werd? Remmert Wielinga.

Maar hij stapte niet af, hij bleef rijden. Ploegleider Adri van Houwelingen moest met de auto achter Wielinga blijven, onze laatste man in koers. Bidonnetje, aan de auto hangen, dat spel. Wij zaten in de kopgroep en daarachter ontstond een grote bus. Met van onze ploeg Grischa Niermann, Soldaat Wauters, Bram de Groot.

Die mannen pakten op een gegeven moment bevoorrading, maar kregen daarna een zwaar stuk met Telegraphe en Galibier. Vooral in het laatste stuk van de Galibier is het moeilijk om drinken te krijgen, zo smal. Wauters, De Groot en Niermann moesten drinken hebben, maar hadden geen auto achter zich. Want Van Houwelingen zat bij Wielinga.

Je kunt niet tien keer bij dezelfde ploeg komen voor drinken. Dus wordt het sappelen, en zit je nooit lekker te rijden. Zeker in zo'n rit van 230 kilometer, bloedverziekend heet, 32 of 33 graden. Geen verwennerij. Vier klimmetjes in het begin, dan Telegraphe en Galibier, naar beneden en dan nog Alpe d'Huez op. Een van de zwaarste ritten die ik ooit heb gereden.

Pas beneden aan Alpe d'Huez kregen die mannen in de bus door dat ze wel op tijd binnen zouden komen. Dat had je ook meer in die tijd, een bus die in overleg ontstond. Met een ervaren renner als buschauffeur die regelde dat iedereen bij elkaar bleef en elkaar niet flikte. 'We komen met z'n allen op tijd binnen.' Maar wie komt aan de voet van Alpe d'Huez ineens terug in de bus? Remmert Wielinga. En wat doet hij? Hij knalt erop en erover, en komt met 4 minuten voorsprong op de bus boven.

's Avonds aan tafel kregen we het communiqué met de klimtijden van alle renners op de Alpe. Altijd even leuk om te kijken. Iban Mayo de snelste, Armstrong, die mannen. Boogerd tweeëntwintigste of drieëndertigste, weet ik veel. Maar wie had de drieënveertigste tijd of zoiets? Wielinga. De hele dag laatste man in koers. En dan aan tafel met een stalen gezicht zeggen: 'Zo, ik was best wel goed vandaag, ik reed nog hard die Alpe op.' Waarop Wauters, Niermann en De Groot bijkans gek werden. Ze vlogen hem zowat aan! Heel de dag geen water gehad, met dank aan Remmert Wielinga. Ik heb toen ook iets geroepen van: 'Ben je niet goed of zo, houd dat voor je.' Het belang van bevoorrading in de bergen moet je niet onderschatten. Als je niet op het juiste moment eet en drinkt, als dat niet voorhanden is, heb je een groot probleem.

DEMARRAGE • Bram

In 2001 lag mijn ploeggenoot Bram de Groot in de Pyreneeën dubbelgevouwen tussen de vangrails in de rit naar Ax-les-Thermes. Dat zijn van die dingen die je altijd bijblijven. Op de Col de Jau was dat, de dag na de rustdag. Bram had er een handje van om die met geringe inspanning door te brengen. Hij bewoog de hele rustdag niet, met andere woorden: hij bleef de hele dag op zijn nest liggen.

De volgende dag was het oorlog vanuit het vertrek. Bram was een renner die op zo'n lastige dag gerust vroeg mee kon zitten. Hij kon veel meer dan alleen een beetje op kop rijden. Op een gegeven moment schoten we de gevaarlijke afdaling van de Col de Jau in, zagen we daar Bram liggen. Onbeweeglijk, ogen dicht. Veel mensen om hem heen, het zag er heel rot uit. Allemaal bloed op zijn gezicht, niet goed. Daar ben je als renner echt slecht van. Maar je moet door.

We waren als ploeggenoten heel begaan, gingen constant naar de auto om te vragen hoe het met Bram was. Op een gegeven moment kregen we door dat hij niet in levensgevaar was. Dat spookt toch de hele tijd door je hoofd als je zoiets hebt gezien. We kwamen er een beetje doorheen en toen kon ik nog goed finishen op Plateau de Bonascre. Dan doe je weer gewoon wat je altijd doet.

ETAPPE 16 • Dinsdag 16 juli

Start Vaison-la-Romaine
Aankomst Gap
Afstand 168 kilometer
Streek Provence-Alpes-Côte d'Azur
Bijzonder Door een aanval van Alberto Conta-
   dor in een afdaling liepen de broers Andy
   en Fränk Schleck in de Tour van 2011 in
   deze streek kostbaar tijdverlies op.

BOOGERDS BLIK

Rustig aan, de dag na de Ventoux? Vergeet het maar. Een rit naar Gap, dat wordt zeker geen massasprint. Ritten naar Gap zijn op de een of andere manier altijd lastig. Het is bloedheet of pokkenweer, er zit niets tussen. Toen Contador in 2011 Schleck op achterstand reed, hadden ze de hele dag volle bak regen. Toen ik zelf in 2006 goed reed en probeerde de rit te winnen, was het juist bloedverziekend heet.

Na de finish konden we helemaal nooit meer wegkomen uit Gap, alles stond muurvast. Het is daar altijd chaos. Die dag hebben we ruim drie uur in de bus gezeten voor een af-standje van 40 kilometer naar het hotel. We konden niet voor- of achteruit. En toen barstte ook nog eens het onweer los! Er stond zo tien centimeter water op de straten. Het was de dag dat mijn ploeggenoot Óscar Freire op en neer vloog naar huis, omdat hij vader werd. Toch nog iets positiefs op zo'n dag.

Het parcours lijkt misschien niet superzwaar, maar koer-sen in deze streek is nooit makkelijk. Vooral omdat de wegen er slecht zijn. Echt gevaarlijk. Veel van dat grind en dat rare asfalt, dat plakt of verbrokkelt. Iedereen kent het beeld dat Joseba Beloki er zo hard is gevallen, die dag dat Lance door het weiland reed. In 2006 brak Rik Verbrugghe er zijn sleutelbeen, na een harde val in de kopgroep. De Schlecks werden in de regen in 2011 gelost in een gevaarlijke afdaling, die ze in de aanloop naar de Tour nog speciaal hadden verkend.

Zeker na ruim twee weken zware Tour is het geen pretje om hier te koersen. Dan komen de sterke mannen naar voren, die nog wat power hebben. Gaan die er weer een knal op geven. Je zult zien dat er altijd wat renners zijn die zich in de zware rit van gisteren naar de Mont Ventoux hebben gespaard. Van die renners die denken dat dit hun laatste kans is, met verder alleen nog een tijdrit, drie bergritten en Parijs. Zij zullen nu meteen in de aanval gaan. Hier rijdt een groep weg, tot aan het klimmetje op het einde, de Col de Manse. Daar krijg je een koers in een koers. Attractief koersen tussen de koplopers om de ritzege, en dan 17 minuten daarachter de strijd tussen de mannen van het klassement.

WIELERTAAL • Meezitten

Klimmen is en blijft onvoorspelbaar en is daarom zo leuk om te zien. Is er hard gereden vanaf de eerste col, dan wordt het een slijtageslag. Dan komt het helemaal niet meer aan op een demarrage, maar wie het langst hard kan blijven trappen. Is er een korte rit, of is er niet zo hard gereden die dag, dan kan een explosieve klimmer op korte afstand best veel verschil maken.

Een renner als Laurens ten Dam moet proberen aan te haken bij een vroege ontsnapping en dan het klassement maar een klein beetje op het tweede plan zetten. Een zware dag uitkiezen, waar je lang moet rijden, het minder aankomt op versnellen en uiteindelijk de sterkste overblijft. Maar dat is moeilijk en heeft te maken met de keuze die je maakt.

Als je één keer niet meezit, wordt de druk elke dag groter. Voor je het weet, rij je als een gestreste kip in de rondte. De

TOURHISTORIE • Ritwinnaars in Gap		
Jaar	**Renner**	**Land**
1931	Joseph Demuysere	België
1932	André Leducq	Frankrijk
1933	Georges Speicher	Frankrijk
1934	Giuseppe Martano	Italië
1935	Jean Aerts	België
1950	Raphaël Géminiani	Frankrijk
1951	Armand Baeyens	België
1953	Wout Wagtmans	België
1956	Jean Forestier	Frankrijk
1958	Gastone Nencini	Italië
1960	Michel Van Aerde	België
1965	Giuseppe Fezzardi	Italië
1970	Primo Mori	Italië
1986	Jean-François Bernard	Frankrijk
1989	Jelle Nijdam	Nederland
1991	Marco Lietti	Italië
1996	Erik Zabel	Duitsland
2003	Aleksandr Vinokoerov	Kazachstan
2006	Pierrick Fédrigo	Frankrijk
2010	Sérgio Paulinho	Portugal
2011	Thor Hushovd	Noorwegen

kansen worden minder en minder, en je rijdt een redelijk klassement misschien ook om zeep. Daar moet je het type voor zijn. Mannen als Thomas Voeckler kunnen dat goed, hun dag uitkiezen. Hij zit er altijd bij als de goede ontsnapping gaat rijden.

Dat is niet zo simpel als het lijkt. Vaak betekent het ook tien keer doodgaan om mee te zitten in het begin. En je moet nog wat overhouden voor de finale. Je ziet in zo'n lange ontsnapping, renners die de hele dag op kop hebben gereden, vaak dat intrinsiek betere klimmers het op het laatst afleggen tegen renners van wie ze in een normale bergetappe altijd zouden winnen. Puur door de inspanningen die er tot de finale zijn gedaan.

FACTS & FIGURES • Dronken

Het spreekt voor zich dat je moed nodig hebt om de lange steile berghellingen in de Alpen en de Pyreneeën af te rijden. Om nog te zwijgen over de andere steile hellingen. Op smalle, lichte vervoermiddelen met een snelheid van tegen de 100 kilometer per uur dendert het naar beneden. Met een klein helmpje als enige bescherming. De afstand tussen het achterwiel van de ene en het voorwiel van de volgende is minimaal. Een kleine slinger van de fiets van de voorste renner, en de achterste kan tegen de grond smakken.

Van de vier dodelijke ongelukken in de Tour de France vonden er twee plaats tijdens een afdaling, het ene in de Alpen, het andere in de Pyreneeën. Francisco Cepeda verongelukte in 1935 op de Col du Galibier toen hij zijn evenwicht op de fiets verloor en in een ravijn stortte. In 1995 kwam de olympisch kampioen van 1992, Fabio Casartelli, om op de Col de Portet d'Aspet. Zonder helm sloeg hij met ongeveer 90 km/u met zijn hoofd tegen een betonrand. Vorig jaar kwam de Belg Wouter Weylandt om toen hij tijdens een lastige afdaling in de Giro d'Italia over de kop sloeg.

Een paar jaar geleden zat de schrijver Ingvar Ambjørnsen met Dag Otto Lauritzen in de volgauto tijdens een etappe over de Col du Galibier. Dag Otto reed kort achter het peloton, en de snelheidsmeter wees rond de honderd aan op de bochtige, smalle weggetjes, met de afgrond er vlak onder. Een lijkbleke Ambjørnsen kroop uit de auto en barstte uit: 'Ik ben in mijn leven vaak dronken geweest, maar dit was veel erger.' Hij had er genoeg van zich in de auto vast te klampen, achter de waaghalzen op de fiets.

De beste dalers hebben een goede aerodynamische houding. De handen rond het onderste deel van het stuur, de ellebogen zoveel mogelijk tegen het lichaam geklemd, de blik vooruit gevestigd. De bochten worden genomen door de curve te volgen. De beste dalers remmen licht. De centrifugaalkracht wordt groter naarmate renner en fiets als een geheel functioneren, neemt toe met het kwadraat van de snelheid, en wordt natuurlijk groter als de draaicirkel kleiner is. Om de werking van de centrifugaalkracht te verminderen leunt de renner met zijn fiets naar het binnenste deel van de bocht, maar volgt de curve. Het lichaamsgewicht en de romp hellen naar binnen, en ook de knieën wijzen naar de binnenbocht. Met de knie kan de balans worden gecorrigeerd als de snelheid in de bocht te hoog is. De remmen worden zo min mogelijk gebruikt, omdat de grip op de weg dan slechter wordt. Uiteraard moet je wel remmen als de snelheid te hoog wordt, maar dan alleen heel licht. Als de weg nat is, is het verstandig om met iets zachtere banden te fietsen. Dan wordt de grip op de weg beter. Om gevaarlijke situaties te vermijden houdt een verstandige renner voldoende afstand ten opzichte van zijn voorganger.

Het is slim om je benen rond te laten gaan tijdens de afdaling, dan blijft je bloed circuleren en worden je benen niet zo stijf als wanneer je ze stil zou houden. Dan wordt het ook weer gemakkelijker om te trappen als de weg vlak wordt of weer omhoogloopt.

ETAPPE 17 • Woensdag 17 juli

Start Embrun
Aankomst Chorges
Afstand 32 kilometer (individuele tijdrit)
Streek Provence-Alpes-Côte d'Azur
Bijzonder Lac de Serre-Ponçon, vandaag decor
voor de tweede individuele tijdrit, is het
grootste stuwmeer van Frankrijk.

BOOGERDS BLIK

Deze tijdrit is van dezelfde lengte als de vorige naar Mont Saint-Michel, 32 kilometer. Maar nu is het parcours wel lastiger. Een mooi plaatje, renners bij dat blauwe stuwmeer en over die brug bij Embrun. Maar er zal gerust serieus geklommen moeten worden. Pittig tijdritje, juist omdat het niet zo lang is. Als er nog geen grote verschillen zijn in het klassement, kan het hier alleen maar spannender worden tussen de favorieten.

Voor klimmers als Contador en Froome is het een voordeel dat je de laatste tijdrit van deze Tour al hebt vóór de Alpenritten. Dan weet je dat er sowieso nog wat recht te zetten valt. En ze hebben het voordeel dat het niet al te lang is. In 2011 won Cadel Evans over een afstand van 41 kilometer al 2.31 minuut op Andy Schleck, die daardoor de Tour verloor. Vorig jaar was de slottijdrit op de zaterdag vóór Parijs, over 53,5 kilometer. Maar toen had Wiggins de Tour allang beslist en werd het nooit spannend.

WIELERTAAL • Roller

In dit stadium van de Tour warmde ik zelf nooit zo lang meer op voor een tijdrit. 's Ochtends ging ik een uurtje of anderhalf fietsen. Paar spurtjes, klaar. En dan starten. Maar ik heb ook nooit zulke korte tijdritten gehad als deze, van 32 kilometer. Meestal waren ze rond de 50 kilometer, en ging je weer een pak minuten verliezen op Lance of Ullrich. Dan had je tijd zat om onderweg warm te worden.

Je ziet altijd de beelden van de warming-up, renners die bij de ploegbus warmdraaien op de roller. Supporters zijn vaak verbaasd. 'Ze zitten nu al af te zien,' roepen ze dan. En je gaat inderdaad al bij het opwarmen heel diep. Je probeert alles open te zetten, rijdt al voor de start hoge wattages. Maar iedereen heeft daar zijn eigen ritueel in. Een renner als Thomas De Gendt warmt soms helemaal niet op. Vaak is het ook onzekerheid. 'Laat ik maar goed warmrijden,' denken ze dan.

Voor een proloog warm je altijd veel op. Je moet koud starten en hebt nog geen koersritme. Dan ga je van tevoren een halfuur, drie kwartier volle bak op die roller. Je moet echt een paar keer diep gaan om alles open te zetten. Kijk, een tijdrit van 65 kilometer ga je niet verliezen door de te korte warming-up. Hooguit kom je juist tekort op het eind van een lange tijdrit als je voor de start te lang diep bent gegaan.

Maar deze tijdrit is 32 kilometer, volle bak, 40 minuten knallen. Dan moet je echt goeie benen hebben aan het vertrek. Dus moet je goed opwarmen. Maar daar zit één gevaar aan. Het kan in deze streek zomaar tegen de 40 graden zijn. Zo'n roller staat stil, in die hitte loop je leeg. Tegenwoordig zie je dan vaak dat ze tijdens de war-

VIVE LA FRANCE • Lac de Serre-Ponçon

Embrun, ook wel het 'Nice van de zuidelijke Alpen' genoemd, is gelegen op 870 meter hoogte en grenst aan het grootste stuwmeer van Frankrijk, het Lac de Serre-Ponçon. Dit stuwmeer is aangelegd doordat de regio leed onder seizoensinvloeden en grote watertekorten. Door het plaatsen van deze stuwdam is een groot deel van het gebied onder water gezet. In het midden van het meer op een eilandje staat een klein kapelletje genaamd Chapelle Saint-Michel de Prunières. Het meer is een populaire vakantiebestemming voor surfers en zeilers.

ming-up van die ijsvesten aanhebben. Die werken goed, ik heb ze ook wel gebruikt. Je warmt goed je hart op, maar je lichaamstemperatuur blijft toch laag. Je moet koelen.

FACTS & FIGURES • Tijdritten om een meer

1985 Lac de Vassivière: Greg LeMond (vs)
1990 Lac de Vassivière: Erik Breukink (Nederland)
1993 Lac de Madine: Miguel Indurain (Spanje)
1995 Lac de Vassivière-en-Limousin: Miguel Indurain
2009 Lac d'Annecy: Alberto Contador (Spanje)

TOURHISTORIE • Paardenstaart

Tijdritten worden 'het moment van de waarheid' genoemd. Bradley Wiggins legde vorig jaar de basis voor zijn Tourzege door beide individuele tijdritten te winnen. In 1934 was het de eerste keer dat er een tijdrit in de Tour de France was opgenomen, over 83 kilometer van La Roche-sur-Yon naar Nantes. De winnaar was Antoine Magne, die ook het eindklassement won.

De kleinste marge ooit tussen de nummers één en twee van het eindklassement bedraagt 8 seconden, in 1989. De laatste etappe van die editie was een 24,5 kilometer lange tijdrit van Versailles naar de Avenue des Champs-Élysées. Laurent Fignon had een voorsprong van 50 seconden op Greg LeMond, de nummer twee van dat moment. LeMond ging als op één na laatste van start, met een tijdrithelm, een dicht achterwiel en een triatlonstuur. Twee minuten later was het de beurt aan Fignon, op zijn Raleigh-fiets met dicht voor- en achterwiel, maar zonder triatlonstuur of tijdrithelm. Zijn blonde paardenstaart wapperde in de wind.

Na 11,5 kilometer had LeMond al 21 seconden ingelopen. Langs de Seine, voorbij de Eiffeltoren, om de Arc de Triomphe en op de Champs-Élysées werd het uitgevochten. LeMond nam bij het passeren van de finish de leiding in het klassement over, het publiek wachtte nu in spanning op Fignon. Honderdduizenden toeschouwers stonden langs de avenue en keken naar de klok op het scorebord. Fignon mocht hooguit 2 minuten en 50 seconden na LeMonds binnenkomst finishen. Toen hij nog honderd meter voor de boeg had, verstomde het publiek. De tijd was verstreken en LeMond had de Tour gewonnen met het kleinste verschil uit de geschiedenis. Acht seconden na in totaal 3285 kilometer.

Nadat de verbijstering was weggeëbd, volgde de zelfreflectie. Waarom had de Fransman niet met een triatlonstuur en tijdrithelm gereden, die beide waren geïntroduceerd als innovatie in de race tegen de klok? Het stuur geeft de renners de best denkbare aerodynamische houding, waardoor de luchtweerstand vermindert. Iets wat ook de tijdrithelm doet. Eddy Merckx dacht dat de paardenstaart van Fignon hem 8 à 10 seconden had gescheeld.

De beste tijdrijders kunnen over langere tijd meer vermogen (watt) genereren onder de verzuringsgrens (de anaerobe zone; het punt waarop de spieren te weinig zuurstof krijgen om de afvalstoffen af te voeren, waardoor lactaat of melkzuur ontstaat). De specialist is te herkennen aan een regelmatige, krachtige pedaalslag. Lance Armstrong trapt bijvoorbeeld in een tijdrit met een frequentie van 80 tot 85 pedaalslagen per minuut. Het is ook belangrijk om de aerodynamische positie vol te houden, zonder het lichaam te veel op en neer te bewegen, of heen en weer.

De tijdrit van 2011 in Grenoble bleek beslissend te zijn voor de eindklassering. Cadel Evans verpletterde de broertjes Schleck en nam de gele trui over. Het was een lesje in techniek, om het verschil te zien tussen de goede tijdrijder aan de ene kant, zoals Tony Martin en Cadel Evans, en de gebroeders Schleck aan de andere kant, die op en neer bewogen en van links naar rechts wiegden. De eerste twee zaten stabiel op hun fiets, en haalden het maximale rendement bij het overbrengen van hun vermogen naar de pedalen, terwijl de jongens uit Luxemburg hun energie zowel in hun pedalen als in andere richtingen verdeelden.

De positie op de fiets is bepalend, want het is de renner zelf die zorgt voor bijna alle weerstand. Een beetje weerstand komt ook van de wielen, omdat de constructie van de wielen zorgt voor ongeveer twee keer zoveel windweerstand vanwege de rotatie. Dichte wielen reduceren die weerstand, in tegenstelling tot spaakwielen. Maar als er veel wind is, of een geaccidenteerd terrein, zijn dichte wielen moeilijker om mee te manoeuvreren. De stijfheid van het fietsframe is ook belangrijk; een optimaal stijf frame kan ervoor zorgen dat de renner extra watt naar zijn pedalen kan overbrengen.

De luchtweerstand neemt enorm toe als de snelheid toeneemt. Er is bijna twee keer zoveel vermogen nodig om je snelheid van 40 naar 50 kilometer per uur te brengen. Bij een denkbeeldig voorbeeld heeft een tijdritfiets bij 40 km/u een vermogen nodig van 300 watt. Terwijl om 50 km/u te halen de renner naar een vermogen van 585 watt moet. De renners dragen ook een tenue dat naadloos om het lichaam sluit.

Velen experimenteren in windtunnels en laboratoria om de beste zithouding te testen. De specialisten houden hun ellebogen dicht tegen hun lichaam zodat deze niet uitsteken en zodoende wind vangen. Als je de renner van achteren ziet, moet het hoofd achter romp en rug verscholen gaan. Het is zwaar om die ideale zithouding gedurende de hele rit vol te houden. Als je wilt slagen als tijdrijder, moet je regelmatig met de tijdritfiets trainen. Het is zwaar voor je spieren om gedurende de hele rit zo compact en stabiel te zitten.

Daarom is het belangrijk om een compromis te vinden tussen de ideale zithouding en een praktische, die je de hele etappe kunt volhouden. Daarom is er geen 'perfecte' houding. Dan zou het terrein tenslotte de hele afstand hetzelfde moeten zijn, zoals in een velodroom. Tijdens een gewone tijdrit zal de renner zijn positie aanpassen aan het terrein. De wind stroomt langs het geheel, dat is de renner en de fiets.

De tijdrit werd vanaf 1994 een discipline op het WK, de Olympische Spelen volgden twee jaar later. De snelste tijdrit in de Tour stamt uit 2005, toen David Zabriskie, uit de VS, de 19 kilometer lange openingsetappe won met een snelheid van 54,676 km/u. Greg LeMond was in 1989 iets langzamer, met 54,545 km/u.

ETAPPE 18 • Donderdag 18 juli

Start Gap
Aankomst Alpe d'Huez
Afstand 168 kilometer
Streek Provence-Alpes-Côte d'Azur,
    Rhône-Alpes
Bijzonder De Italiaanse wonderklimmer Marco
    Pantani, in 2004 overleden, heeft nog al-
    tijd de drie snelste beklimmingen van Alpe
    d'Huez op zijn naam.

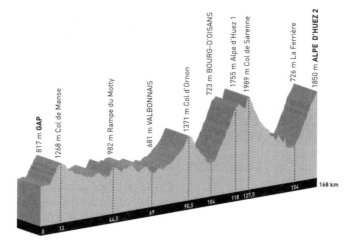

BOOGERDS BLIK

Twee keer Alpe d'Huez in één koers, dat is nog nooit ver-
toond. Gefeliciteerd jongens, wat een rit. Dit gaat de koninginnenrit zijn van deze Tour. Wel heel gaaf voor het publiek,
dat ze twee keer langskomen. Maar voor de renners mega-

zwaar. Na de eerste keer Alpe d'Huez is het zelfs nog drie kilometer verder klimmen, de Col de Sarenne. Die route ken ik zelf niet, maar makkelijk zal het niet zijn. Dit is natuurlijk een ideale rit voor de pur sang klimmers. Je kunt de eerste keer naar Alpe d'Huez gelijk spektakel maken, je hoeft niet te wachten tot de laatste keer. Na de Sarenne is het 25 kilometer dalen en dan mag je alweer omhoog. Echt zo'n rit waar Riis en Contador wel een plan voor zullen hebben.

Alpe d'Huez blijft natuurlijk de Hollandse berg. In mijn jeugdherinneringen hebben hier ook altijd Nederlandse renners gewonnen. Hennie Kuiper twee keer, Joop Zoetemelk twee keer, Peter Winnen twee keer, Rooks en Theunisse één keer. Als je 'Tour de France' zegt, zegt de Nederlander 'Alpe d'Huez'. Je had ook zo'n Nederlandse pastoor die de klok luidde na alweer een ritzege van een Nederlander. [De Brabander Jaap Reuten was 28 jaar pastoor van de Notre-Dame des Neiges op de Alpe d'Huez. Hij overleed op tweeënzeventigjarige leeftijd en ligt begraven op Alpe d'Huez, in het gehuchtje La Garde bij bocht drie.]

Sommigen staan er al een week van tevoren en het is alle dagen carnaval. Ooit had ik zelf ook het idee om er een keer met een campertje naartoe te gaan als ik was gestopt. Is er nooit van gekomen. Wel doe ik al jaren mee aan Alpe d'HuZes voor het goede doel van de kankerbestrijding. Wat ik heel apart vind: als je dan Alpe d'Huez op rijdt, heb je hetzelfde soort gevoel als in de Tour. Dezelfde sfeer.

Voor de Nederlandse renners wacht er op Alpe d'Huez altijd een speciale verrassing. Bocht zeven is de Hollandse bocht. Typisch iets voor Nederlanders om daar met z'n allen te gaan staan. Iedereen in het oranje en maar springen en gek doen. Holadijee! Als renner leef je ernaartoe, je weet dat ze daar staan. Een paar bochten ervoor hoor je het gezoem al. Muziek, geschreeuw. Het liefst rijd je binnen de eerste tien, dat is het leukst. Maar dat is mij nooit gelukt.

Je wordt evengoed verschrikkelijk aangemoedigd. Ze komen zo dicht bij de renners dat je de alcohol uit de monden ruikt. Iedereen is lam en staat te springen. Dan zie je het voordeel van aanmoedigingen. Even vergeet je alle pijn en krijg je vleugels. Maar voor je het weet, ben je door bocht zeven heen. En als je dan weer uit dat Nederlandse gedeelte bent, komt er een heel leeg gevoel over je. Dan val je weer terug in je eenzaamheid. Weg goede gevoel. Al kom je er vandaag wel twee keer langs.

Zeker als je in de bus zit, kun je genieten van het publiek. Ik heb er al veel gekke dingen over gehoord. Renners met oranje hoeden en pruiken op, renners die bier aan het drinken waren. Zelf heb ik nooit genoten op Alpe d'Huez. Alleen maar afgezien. Maar het blijft speciaal. Het is gewoon carnaval daar. Zoveel Nederlanders winnen er de laatste tijd niet meer, maar het blijft toch de Nederlandse berg.

Een voordeel van Alpe d'Huez is dat je boven kunt blijven logeren. Er zijn genoeg hotels, je hoeft na die rit niet meer van die berg af. Dat scheelt een paar uur. Maar je moet daar wel op hoogte slapen. Vond ik nooit lekker. Je hartslag blijft hoger, je herstelt minder snel. Het is vrij fris in de nacht, en de hotels zijn nooit goed. Smalle bedjes, van die wintersportdingetjes. Nee, ik heb er geen fijne herinneringen aan.

DEMARRAGE • Pantani

Alpe d'Huez is een pokkenberg, mij heeft die klim nooit gelegen. Ik weet niet waarom. Het is steil, gelijk in het begin rijd je tegen een muur op. Sprinten geblazen, volle bak. Ik was erbij, de twee keer dat ze het snelst omhoogreden hier. Tegen Marco Pantani verloor ik in 1997 meer dan 6 minuten op 14 kilometer, tegen Lance Armstrong in 2001 idem dito. Kijk naar die tijden: 36 of 37 minuten, bizar hoe hard ze omhoogschoten.

Als je later de beelden ziet: die Pantani moest gewoon remmen in de bochten. Daar kon ik niet aan denken. Iedereen zegt dat het na de eerste vier kilometer minder steil wordt, maar dat heb ik nooit zo ervaren. Voor mij bleef het steeds maar lastig. Je rijdt van haarspeld naar haarspeld. En in die bocht kun je even de druk van de pedalen houden, want die zijn vrij vlak. Maar dan moet je weer. Je bent tussen de veertig en vijftig minuutjes aan het klimmen. Dus moet je een beetje doseren, je niet gek laten maken in het begin.

TOURHISTORIE • Lance

Nooit eerder in de geschiedenis van de Tour de France fietsten de renners door een groter gekkenhuis dan die woensdagmiddag van de eenentwintigste juli 2004. Bijna een miljoen wielerfans hadden zich al dagen ervoor verzameld langs de 15,5 kilometer lange route naar Alpe d'Huez, zestig mensen per strekkende meter asfalt!

Die ochtend liep de temperatuur snel op tot tegen de 35 graden, wind was er nauwelijks. Walmen van geroosterd vlees en opgeboerd bier bleven lang hangen in de lucht. Spandoeken langs de kant, leuzen op de weg; van 'Go Home Yankee' tot 'Ripp their Balls off Lance'. Onophoudelijk geratel van helikopters, gebrom van volgauto's en motoren, en hysterisch gegil van de mensenmassa maakten het surrealistische tafereel af. In deze waanzin zwoegden 157 coureurs een voor een omhoog, in een individuele tijdrit naar de top van de legendarische berg.

'Het was de bizarste dag uit mijn leven,' vertelt Chris Van Roosbroeck. De Belg, vaste mecanicien van Lance Armstrong, beleeft de beklimming van Alpe d'Huez die dag vanuit de ploegleidersauto achter zijn kopman. 'Aan het stuur zat Johan Bruyneel, naast hem Sheryl Crow. Dat wilde Lance zo hé, daar viel niet aan te tornen.' Ploegleider en zijn toenmalige vriendin zijn voor The Boss heilig. 'Ikzelf zat achter Sheryl, naast mij een agent.'

Een agent? 'Die ochtend was ik gebeld door Johan Bruyneel. Hij klonk nerveus. "Ik vertel dit verder aan niemand," zei hij. "Maar omdat jij bij me in de auto zit, moet ik jou op de hoogte stellen. Er is een serieuze bedreiging binnengekomen bij de autoriteiten. Ze gaan vandaag een auto van US Postal opblazen." Ik wist niet wat ik hoorde, en reageerde een beetje lacherig. "Dat zal dan zeker onze auto zijn, Johan?" Maar eigenlijk was het niet om te lachen. Johan stond, ik wil niet zeggen stijf van de schrik, maar hij zat er dicht tegenaan.'

Maandenlang had de wielerwereld vooruitgeblikt naar de klimtijd-rit naar Alpe d'Huez, een skistation in de Franse Alpen dat in 1932 werd gesticht. Een tijdrit bergop, man tegen man, de eerlijkste vorm van wielersport. En dan ook nog eens op een berg met een fantasti-sche historie.

In 1952 is de Italiaanse campionissimo Fausto Coppi de eerste die er de etappe wint. Solo, in een klimtijd van 45 minuten en 22 se-conden, een gemiddelde snelheid van 18,7 kilometer per uur. In de jaren zeventig en tachtig kleurt het skioord oranje. Joop Zoetemelk, Hennie Kuiper en Peter Winnen winnen twee keer, Steven Rooks en Gert-Jan Theunisse één keer. Onvergetelijk is de show die Bernard Hinault in 1986 opvoert met zijn jonge ploeggenoot Greg LeMond. Hand in hand gaan ze over de streep, maar eigenlijk kunnen ze el-kaars bloed wel drinken. Gianni Bugno wint twee keer, net als Marco Pantani. Il Pirata vestigt volgens de Franse krant L'Équipe in 1997 een ongelofelijk record op de 13,8 kilometer lange klim: 36 minuten en 50 seconden, oftewel een gemiddelde snelheid van 22,5 kilometer per uur, ruim 20 procent sneller dan Coppi in 1952. Zelfs Armstrong haalt bij zijn zege in 2001 niet de tijd van de jong overleden super-klimmer uit Cesenatico.

Uitgerekend in dit decor kan Lance Armstrong in 2004 record-winnaar worden van de Tour de France. Vijf keer heeft de Texaan al gewonnen, net als Anquetil, Merckx, Hinault en Indurain. Maar zijn zege in 2003 was allerminst overtuigend geweest, en in de voorberei-ding verliest hij een klimtijdrit op de Mont Ventoux. Uitdager Jan Ull-rich rijdt met de dag beter en wint vlak voor de Tour de Ronde van Zwitserland. De Duitser is een excellente tijdrijder. Zo speculeert ie-dereen over 'The Ultimate Fight'. Elke meter asfalt, elk van de 21 bochten wordt verkend. Gewicht van mens en machine tot drie cij-fers achter de komma berekend.

'In de aanloop naar de Tour, na de Dauphiné, zijn we met vier man naar Alpe d'Huez geweest,' vertelt Van Roosbroeck. 'Lance, Johan Bruyneel, een verzorger en ik. Achteraf is het fantastisch dat ik het al-lemaal mocht meemaken. We verbleven vijf dagen op de berg, in het enige hotel dat open was. Het was er verder uitgestorven. Zes uur per dag reden we met de auto achter die ene renner aan. In totaal heeft Lance de beklimming zeker twaalf keer verkend. Dat was zijn grote kracht, hij liet niets aan het toeval over, had oog voor elk detail. Ik had wel de indruk dat de rit naar Alpe d'Huez voor hem nog bijzonderder was dan anders. We zijn er zo intensief mee bezig geweest.'

De ochtend van de tijdrit is Van Roosbroeck vroeg op. 'We zaten in een hotel in Grenoble, een beetje uit de drukte van Alpe d'Huez. Lance ging een stukje warmrijden. Hij koos voor de klim naar Chamrousse, die hij nog kende uit de Tour van 2001. Daar was het rustig, daar kon hij zichzelf en de fiets nog eens goed testen.'

Terwijl Armstrong terugkeert naar het hotel, gaan zijn ploeggenoten een voor een van start. De sfeer op Alpe d'Huez is gespannen. Duitse 'supporters' van Erik Zabel schelden op diens concurrent voor de groene trui, Robbie McEwen. Er wordt gegooid met water en bier. Nog heftiger zijn de reacties op de us Postals van Armstrong. Aan de finish vertellen renners dat ze zelfs zijn bespuugd! 'Echt triest wat er allemaal gebeurde die dag,' zegt Van Roosbroeck.

Armstrong weet dat hij in Frankrijk niet populair is. Een deel van het publiek is uitgekeken op hem, de onfeilbare. Scheldpartijen brengen hem niet uit balans, beschuldigingen over dopegebruik nog minder. Zelfs een doodsbedreiging kon hem in 2003 niet echt verontrusten. Maar hier, in de gillende gekte op de Alpe? Hij hoort hoe zijn ploeggenoten op de Alpe zijn bejegend. Dan moet hij naar de start in Bourg-d'Oisans.

'We vertrokken zo laat mogelijk vanuit het hotel in Grenoble,' vertelt Van Roosbroeck. 'We moesten ons door een dubbele file van auto's naar de start wringen. Wat een miserie!' Bij de start ontstaat een extra probleem. 'Ik ging naar de weging van de fiets, die ik speciaal voor de klimtijdrit precies op de limiet had gemaakt, 6,8 kilo. Maar de weegschaal gaf 10 gram te weinig aan. Ik verving razendsnel de speciale lichte assen door normale, en plaatste een fietscomputertje op het stuur. Dat moest genoeg zijn. Wat bleek? De fiets was ineens 20 gram te licht. Dus die weegschaal klopte niet! Ik was even geen vrienden met de meneren van uci. Dit ging over Tourwinst, dit was niet om te lachen! Ik heb de cassette met tandwielen vervangen door een zwaardere en haalde juist op tijd het vereiste gewicht.'

Intussen nadert het moment dat Armstrong van start gaat. 'Lance ging zo laat mogelijk opwarmen, hooguit 15 minuten. Uiterlijk kon ik niets bijzonders aan hem zien. Vlak voor de wedstrijd was hij net zo rustig als anders. En dan de baan op, hè. Verstand op nul, blik op oneindig en gaan!'

De eerste acht kilometer zijn het ergst. Daar staan geen hekken. Het publiek kan de renners zo aanraken. Van Roosbroeck: 'Bruyneel had van tevoren al tegen de Tourdirectie gezegd dat ze langs het hele parcours hekken moesten zetten. Ze deden het niet. Dom, echt niet verstandig.' De ervaren mecanicien, die ook twaalf jaar bij de ploeg van Jan Raas werkte, vertelt hoe zijn kopman zich door de massa worstelt. 'Voor hem reed links en rechts een veiligheidsagent, om de mensen terug te stompen. Bruyneel hield de auto tot vlak op het achterwiel van Lance, om iedereen opzij te houden. Maar als Lance had moeten inhouden, zou Johan hem zo hebben aangereden. Het gevaarlijkst waren de meelopers met de vlaggen. Regelmatig zag ik zo'n vlag bijna tussen de versnelling wapperen. Dan lig je.'

Honderdduizenden schreeuwen, schelden, spugen. 'Spijtig dat het zo moest gaan,' zegt Van Roosbroeck. 'Zo'n sportman, die zo werd bejegend.' Armstrong zelf maalt gewoon door. Hij haalt de voor hem gestarte Ivan Basso zelfs in en wint met ruim een minuut voorsprong op Jan Ullrich de bizarste race uit zijn carrière. Volgens Daniel Coyle, schrijver van het boek *Lance Armstrongs oorlog*, spreekt hij vlak na de finish op Alpe d'Huez historische woorden: 'I got them.'

Beschimpt en bespuugd, met de dood bedreigd. Maar hij heeft ze te pakken, allemaal. Dacht hij toen.

FACTS & FIGURES

SNELSTE TIEN KLIMTIJDEN OOIT OP ALPE D'HUEZ (OVER LAATSTE 13,8 KM)*

PLAATS	RENNER	TIJD	JAAR
1	Marco Pantani	36.50	(1995)
2	Marco Pantani	36.55	(1997)
3	Marco Pantani	37.15	(1994)
4	Lance Armstrong	37.36	(2004)
5	Jan Ullrich	37.40	(1997)
6	Lance Armstrong	38.05	(2001)
7	Miguel Indurain	38.10	(1995)
8	Alex Zülle	38.10	(1995)
9	Bjarne Riis	38.15	(1995)
10	Richard Virenque	38.20	(1997)

ANDERE TOPTIJDEN

PLAATS	RENNER	TIJD	JAAR
–	Carlos Sastre	39.28	(2008)
–	Erik Breukink	40.20	(1990)
–	Samuel Sánchez	41.35	(2011)
–	Alberto Contador	41.44	(2011)
–	Pierre Rolland	42.08	(2011)
–	Cadel Evans	42.28	(2011)

* Bron: *L'Équipe*

TOURHISTORIE • Winnaars op Alpe d'Huez

Jaar	Renner	Land	Jaar	Renner	Land
1952	Fausto Coppi	Italië	1989	Gert-Jan Theunisse	
1976	Joop Zoetemelk		1990	Gianni Bugno	Italië
1977	Hennie Kuiper		1991	Gianni Bugno	
1978	Hennie Kuiper		1992	Andrew Hampsten	vs
1979	(twee keer finishplaats)		1994	Roberto Conti	Italië
	• Joaquim Agostinho	Portugal	1995	Marco Pantani	Italië
	• Joop Zoetemelk		1997	Marco Pantani	
1981	Peter Winnen		1999	Giuseppe Guerini	Italië
1982	Beat Breu	Zwitserland	2001	Lance Armstrong	vs
1983	Peter Winnen		2003	Iban Mayo	Spanje
1984	Lucho Herrera	Colombia	2004	Lance Armstrong	
1986	Bernard Hinault	Frankrijk	2006	Fränk Schleck	Luxemburg
1987	Federico Echave	Spanje	2008	Carlos Sastre	Spanje
1988	Steven Rooks		2011	Pierre Rolland	Frankrijk

ETAPPE 19 • Vrijdag 19 juli

Start Bourg-d'Oisans
Aankomst Le Grand-Bornand
Afstand 204 kilometer
Streek Rhône-Alpes
Bijzonder Lance Armstrong hield in
  Le Grand-Bornand in 2004 de Duitser
  Andreas Klöden in de laatste meters af
  van de ritzege.

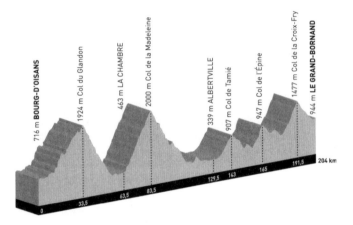

BOOGERDS BLIK

Deze Tour is qua bergen veel zwaarder dan vorig jaar. In de Alpen heb je in de laatste week drie dodelijke ritten achter elkaar, vier met die vieze overgangsrit naar Gap erbij. Gisteren twee keer in één rit de Alpe d'Huez op was al geen verwennerij. Maar deze rit schat ik nog wat zwaarder in. Twee dijenkletsers in het begin, en op het laatst nog een heel steile berg. Superzware rit.

Uit het vertrek gelijk klimmen, met Glandon en Madeleine. En je hebt altijd wel iemand die kansen ziet. Of ze hebben een dag eerder een klassementsrenner zien kraken. Hup, rijden! Spektakel gegarandeerd. De Madeleine rijden ze op van de goede kant. Volgens mij heb ik daar nog altijd de snelste tijd staan. Ik vind het een heel mooie klim, zeker van die kant.

Dan krijg je de Tamié. Normaal geen lastige klim, maar als je al niet lekker in je vel zit... En op het einde nog de Col de la Croix Fry. Dat vond ik zelf echt een superlastige berg. Ze noemen het eerste categorie, niet eens *hors catégorie*. Maar hij lag me niet, die Croix Fry. Dan een mooie afdaling naar Le Grand-Bornand en finish. Wie op de Croix Fry het verschil maakt, kan de rit winnen. Hoewel het in 2004, in precies zo'n zelfde rit, anders ging.

Je had toen zo'n legendarische periode. Lance Armstrong won die Tour liefst drie bergritten achter elkaar. Eerst in Villard-de-Lans, waar Erik Breukink ooit een tijdrit won. Daarna was hij superieur in de legendarische klimtijdrit op Alpe d'Huez. En de volgende dag, in de zware rit naar Le Grand-Bornand, pakte hij Andreas Klöden nog even op de streep. Die dacht dat hij de rit ging winnen. Maar Lance dacht van niet.

Zelf werd ik die dag al op de eerste klim gelost. Het is een van de weinige keren dat ik in de Tour in de bus heb gezeten. Wat heb ik afgezien, niet normaal. Ik was zowat afgestapt! Net als Erik Dekker trouwens. Hij heeft de hele dag zelfs achter de bus gereden. Op het laatst is hij nog teruggekomen in de bus. Bijna dezelfde rit als nu, met dezelfde klimmen. Toen liet een renner als Robbie McEwen mij bergop afzien. Een en al ellende.

DEMARRAGE • Extrannetje

Eten is cruciaal, daar moet je in lange bergritten zoals deze heel erg op letten. Je bent op de eerste twee cols al bijna een uur aan het klimmen, tegen je maximale vermogen aan. Dan verbrand je veel energie, maar bergop is het niet makkelijk om te eten. Dus moet je van tevoren al extra hebben gegeten. En bovenop meteen weer. Je krijgt dorst, gaat veel water drinken. Ik begon vaak al vroeg in de etappe met cola, om toch suikers te hebben en te voorkomen dat je helemaal wegzakte. Daarnaast vloeibaar voedsel. Als het even rustiger gaat gelijk een gelletje opentrekken. Elke hap is er één. Daar moet je echt op letten.

Op die laatste drie cols kun je bijna niet eten. Het is dan alleen nog klimmen en dalen. En als je volle bak in de afdaling bent, heb je ook geen gelegenheid om te eten. Een broodje heeft sowieso geen zin, dan probeer je tussendoor een Extrannetje leeg te knijpen. Dat is vaak het beste. Anders ga je op de slotklim voor gaas. Als je niets meer hebt om te verbranden, slaat de motor af. Dat zijn linke dingen. In een bergrit moet je ieder moment pakken om te eten. In een vlakke rit heb je een vast schema, geen probleem.

TOURHISTORIE •
Ritwinnaars in Le Grand-Bornand

Jaar	Renner	Land
2004	Lance Armstrong	vs
2007	Linus Gerdemann	Duitsland
2009	Fränk Schleck	Luxemburg

Gebrek aan drinken kan ook heel gevaarlijk zijn. Ik kan me uit 2003 een rit herinneren over de Galibier, met Armstrong. Het duurde lang voordat mijn ploegleider Theo de Rooij kwam. Gek werd ik! Roepen, roepen, maar ze kwamen maar niet. Dat is echt een paniekgevoel. In het laatste stukje van de klim wilde je al bij de auto drinken halen, want in de afdaling gaat dat niet lukken. En op zo'n klim van een uur zijn twee bidonnetjes niks natuurlijk. Dan heb je er zo vijf of zes nodig. Want je moet weer gesteld staan voor de volgende klim.

FACTS & FIGURES • Hongerklop

Elke prof die een etappewedstrijd van drie weken rijdt, stelt zijn lichaam bloot aan extreem hoge belasting. Daarbij den-

ken we niet alleen aan de aanslag op je uithoudingsvermogen
die het nu eenmaal is om over twintig afstanden 3500 kilometer in hoge snelheid te moeten fietsen, maar ook aan het binnenkrijgen van genoeg voedingsstoffen om het energieverbruik te compenseren dat een Grand Tour van het lichaam
vergt.

Een gemiddelde etappe eist een energieverbruik van ongeveer 9000 kilocalorieën; op de langste en zwaarste bergetappes zijn er metingen gedaan van tegen de 12.000 kilocalorieën
aan energieverlies. 9000 kilocalorieën komen overeen met 31
cheeseburgers van McDonald's, voor wie het wil uitproberen.
Het binnenkrijgen van voldoende eten en het juiste eten is
daarom een belangrijke factor voor goede prestaties.

De Amerikaan Greg LeMond was een groot fan van de
McDonald's-burger en Mexicaans eten. Veel Franse journalisten plaagden hem met zijn affiniteit met Amerikaans fast-
food. Bedenk dat dit in de jaren tachtig was, nog voor de tijd
dat de fastfoodketens hun opmars in de Franse keuken begonnen. Tijdens een etappe in de Tour de France zorgde Le-
Mond ervoor dat zijn etenszakje daadwerkelijk een *real* Big
Mac met frietjes bevatte. Onder het rijden viste hij dit pakket-
je tevoorschijn en at het met smaak op voor de ogen van een
lachend peloton.

In tegenstelling tot de wielrenners die zich voorbereiden
op *Den Store Styrkeprøven* (De Grote Krachtproef) Trond-
heim-Oslo door lekker veel te eten om wat extra energie te
hebben tijdens de wedstrijd, zijn de profrenners op hun wed-
strijdgewicht als ze aan de start verschijnen en moeten ze hun
best doen om tijdens die drie weken op dit gewicht te blijven.
Elk gewichtsverlies houdt het risico in dat er slecht gepresteerd wordt. Om de energiebehoefte te dekken moeten de
deelnemers voldoende koolhydraten, proteïnen en vet binnenkrijgen, en daarbij gaat het om de juiste verhouding tussen deze verschillende voedingsstoffen. Het Noors olympisch
comité (Olympiatoppen) adviseert dat 60 tot 65 procent van

de energie van koolhydraten afkomstig is, 25 tot 30 procent van vet en 12 tot 15 procent van proteïnen. Daarbovenop komt nog de inname van vitaminen en mineraalstoffen.

In de wielersport en andere duursporten kan het doorslaggevend zijn de wedstrijd met een goedgevulde glycogeenvoorraad te starten. Er is een direct verband tussen de hoeveelheid spierglycogeen en prestatie. Zodra de wedstrijd van start is gegaan, begint de glycogeenvoorraad te slinken. De grootte van de voorraad en de snelheid waarmee die weer opgebouwd kan worden, hangt samen met de hoeveelheid koolhydraten die de sporter eet, welk type koolhydraten hij eet en het tijdstip dat hij de koolhydraten binnenkrijgt.

'Hoe eerder je energie inneemt, en dan vooral koolhydraten, na een wedstrijd die je glycogeenvoorraad heeft uitgeput, des te beter is het,' legt voedingsfysiologe Christine Helle van Olympiatoppen uit. 'Het vermogen van de spiercellen om koolhydraten op te nemen en ze op te slaan als glycogeen is 7 tot 8 procent in de eerste twee uren na een intensieve periode, terwijl het later in het etmaal 4 tot 5 procent is. Vroeger zei men altijd dat de sporter tot twee uur na een training of wedstrijd effectief kon opnemen. Nu weten we dat de inname van voeding tijdens het eerste kwartier na een intensieve periode effectiever is dan tijdens het kwartier daarna. Daarom hebben we de regel voor topsporters om binnen een halfuur nadat de training is beëindigd minstens een gram koolhydraten per kilo lichaamsgewicht binnen te krijgen. Voor renners in de Tour de France zou deze inname minstens 1,4 gram per kilogram moeten zijn,' vertelt Helle.

Is de glycogeenvoorraad helemaal leeg, dan is er volgens de experts bijna 24 uur voor nodig om die voorraad in de spieren weer helemaal op peil te brengen. Maar de wielrenners gaan 's middags over de finish, en de volgende etappe start vaak de volgende dag om elf of twaalf uur, dus amper 18 uur na een lange pauze. 'Vroeger kregen de renners glucose intraveneus toegediend, maar dat is immers per definitie doping,' zegt

Christine Helle. 'Krijg je het intraveneus toegediend, dan kun je het weer op peil krijgen. Maar bij puur orale inname van koolhydraten, bij een totale lege voorraad, is men van mening dat er 24 uur nodig is. 9000 kilocalorieën per dag, dat is zoveel dat je die niet met gewoon eten kunt aanvullen. Daarom stopt men er zoetmiddelen in, zoete drankjes, extra suiker in de pap om de energie- en koolhydrateninname te verhogen zonder dat het volume enorm toeneemt.'

De hongerklop – in het Frans 'fringale' en in het Engels 'the bonk' – is een uitdrukking die iedereen in de wielersport kent. Is de renner slordig geweest met het onderweg aanvullen van de glycogeenvoorraad, dan loopt hij het risico dat hij plotseling vermoeid en uitgeput is. Lance Armstrong kwam 'the bonk' tegen tijdens de Tour de France van 2000, tijdens de loodzware zestiende etappe met als laatste beklimming de Joux Plane.

Marco Pantani had vanaf het begin van de zware etappe in de Alpen een ongelofelijk tempo ingezet. Later zei hij dat hij het veld had willen openbreken ongeacht de gevolgen die dat voor zijn eigen race had. Armstrong raakte gestrest door de krachtsinspanning. Boven op de Col de Joux Plane raakten Marco Pantani's krachten op. Armstrong had geen helpers bij zich; hij was alleen, met zijn concurrenten vlak achter zich. De laatste beklimming restte nog en hij maakte zich zorgen of hij wel genoeg had gegeten. Zes kilometer van de top verwijderd begon Armstrong terug te vallen. Hij redde het niet om het tempo van zijn concurrenten bij te houden. 'Mijn benen konden de pedalen niet meer zo snel rond krijgen als ik wilde, mijn mond hing open. Escartin passeerde me, toen nog een en nog een.' Het was zijn ergste dag op de fiets. Het was een wrede ontmoeting met 'the bonk'.

ETAPPE 20 • Zaterdag 20 juli

Start Annecy
Aankomst Annecy Semnoz
Afstand 125 kilometer
Streek Rhône-Alpes
Bijzonder Op de laatste zaterdag eindigt deze
   Tourrit met een steile klim van 10,3 kilo-
   meter lengte en een gemiddelde stijging
   van 8,5 procent.

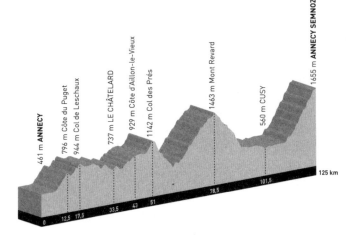

 **BOOGERDS BLIK**

Als uitsmijter heeft de Tourorganisatie op de laatste zaterdag
nog maar eens een aankomst bergop op het menu gezet. Alsof
er deze Tour nog niet genoeg geklommen is. Dit is echt een
van de zwaarste laatste weken die ik ooit heb gezien. Hoewel
het twee jaar geleden ook niet misselijk was, toen Evans won.

Allemaal dooie vogeltjes toen. Sammy Sánchez kon bijna niet verliezen op Alpe d'Huez, maar hij werd op het laatst nog ingelopen door Pierre Rolland. Hij was gewoon op. Dat soort dingen zal je dit jaar ook zien.

De controle zal volledig weg zijn in de laatste week. Daar zoekt de Tourorganisatie ook naar. Zo'n kort ritje van vandaag, Annecy–Annecy Semnoz, over maar 125 kilometer, het lijkt wel een criterium. Maar dat is het zeker niet. Dit is gewoon nog een heel gevaarlijke rit voor de grote mannen van het klassement. Wie er vandaag niet lekker in zit, kan hier de Tour nog verliezen.

Eerst moeten ze over de Mont Revard, die zat vroeger in de Classique des Alpes. Dat is een mooie klim, niet superlastig. Maar dan die laatste klim naar Semnoz. Die heb ik ooit een keer opgereden in de Dauphiné Libéré. Lastig ding, een steil bergje. Kijk maar naar de cijfers: 10,3 kilometer klimmen met 8,5 procent gemiddeld. Twee kilometer voor de top heb je nog een heel steil stuk. Typisch zo'n aankomst bergop om nog één keer alles te geven. Dat kan deze Tour heel spannend maken, als het dan nog bij elkaar staat.

DEMARRAGE • Zoetemelk

De Revard is typisch een 'loper'. Zo'n berg die Joop Zoetemelk een 'platte col' zou noemen. Ik heb Zoetemelk in de Rabo-ploeg nog af en toe meegemaakt als ploegleider. In de Ronde van Romandië kwam dat vaak voor. Hij keek even in het rondeboek en zag dan een berg die hij nog kende uit zijn eigen tijd als renner. 'Da's niks, joh,' sprak hij met karakteristieke stem. 'Platte col.' Ik genoot daar altijd enorm van, als zo'n grootheid zoiets zei. Hij bedoelde dan een berg die regelmatig en niet al te steil omhoogloopt. Zeg maar 3 of 4 procent. Dan kun je met een redelijk grote versnelling een goed tempo houden. Een 'loper'.

FACTS & FIGURES • Aussies

'Aussie, Aussie, Aussie,' klonk het in de straten van Grenoble nadat Cadel Evans de Tour van afgelopen jaar in de tijdrit had beslist. Australië, de natie met goede sporters en een grote interesse in sport, had de eerste overwinning in de Tour de France behaald. Toen Evans na zijn triomf in Melbourne terugkeerde, stonden dertigduizend mensen hem op te wachten om hem te huldigen. Zo was het ook elke dag tijdens de Olympische Spelen in Sydney in 2000. In Lillehammer in 1994 heerste een geweldige sfeer, maar Sydney was een nog groter, nog fantastischer volksfeest, en de Australische atleten waren opvallend aanwezig en toonden hun sportieve kwaliteiten door 58 medailles te winnen, net zoveel als China op de derde plaats. Alleen de grootmachten vs en Rusland wonnen meer medailles.

Het debuut van Australië in de Tour de France dateert van 1914. Donald Kirkham (17 jaar) en Ivan Munroe (20 jaar) waren om mee te doen zeven weken met de boot onderweg naar Frankrijk. De reis startte in december van het jaar ervoor. Er verstreek een aantal jaren voordat een Australische ploeg van vier mannen, inclusief Hubert Opperman, in 1928 deelnam. Hij was de eerste Australiër die van zich liet spreken in de Tour, met een twaalfde plaats in 1931. Hij won ook de wielermarathon Parijs-Brest-Parijs over een lengte van 500 kilometer. Opperman werd een prominent zakenman en politicus,

VIVE LA FRANCE • Wandelroute

Semnoz is een wintersportplaatsje gelegen aan de westkant van de Franse Alpen in het park Massif de Bauges. Een van de mooiste wandelroutes in dit gebied is de Tour de Bauges. Deze tocht van vijf à zes dagen is zowel in de zomer als in de winter te lopen. Een deel van de route is door de Romeinen aangelegd en geplaveid met mooie keien. Op een hoogte van 1700 meter is een *tableau d'orientation*; op een grote steen staan de pieken van de bergen aangegeven met de benaming. Bij helder weer is de Mont Blanc goed te zien. In de gezellige berghut Refuge Semnoz kan je op adem komen met een goed glas wijn.

die minister was in verscheidene regeringen. Hij fietste tot zijn negentigste, tot zijn vrouw het hem verbood omdat ze vond dat hij een gevaar was voor andere weggebruikers. Tegenwoordig wordt er een prijs uitgereikt, de 'Sir Hubert Opperman Trophy', voor de beste Australische wielrenner van het jaar.

Phil Anderson was de volgende die van zich liet spreken, onder andere als de eerste Australiër in de gele trui, in 1981. Het jaar daarna behaalde hij de eerste etappeoverwinning voor Australië. Tien dagen reed hij in de gele trui in dat jaar, en hij werd uiteindelijk nummer tien in het totaalklassement en winnaar van het jongerenklassement. Anderson bereikte zijn beste plaats in 1985 als nummer vijf.

Australië bouwde systematisch aan de sportontwikkeling. De centrale aanpak begon in 1987 en wielrennen werd daar een onderdeel van, onder leiding van de legendarische en gevreesde trainer Chris Walsh. Alleen de sterksten, zoals Stuart O'Grady, Michael Rogers en Bradley McGee, 'overleefden' de enorme belasting fysiek en mentaal. De renners combineerden baan- en wegwielrennen, omdat Walsh van mening was dat daarvoor dezelfde basistraining nodig was. Walsh en later Shayne Bannan waren ervan overtuigd dat het inzetten op beide wedstrijdvormen een breder perspectief gaf en de renners motiveerde verschillende mogelijkheden te zien.

Het systeem is nu ontwikkeld als een piramide, die van club via regio naar landelijk gaat. De beste junioren worden uit de regioteams naar het nationaal team gehaald. Voor deze leeftijdsgroep zijn niet de resultaten het belangrijkst, maar het feit dat de renners de wereld in gaan en de beste renners in Europa tegenkomen. Een deel van het systeem bestaat uit een geavanceerde fysiologische en medische follow-up. De beste junioren worden zo opgepikt voor de landenploeg onder 21, die zes maanden per jaar zijn basis heeft in Italië, en die meedoet aan alle grote wedstrijden op de wedstrijdkalender. De wielrenners die succes hebben, worden nauwlettend gevolgd door de profploegen, contracten worden getekend, en het gevolg is dat er tegenwoordig ongeveer veertig Australische profrenners verdeeld zijn over de beste ploegen. In 1995 waren dat er zes. De succesvolle organisatie van het Australische wielrennen stond ook model voor de ontwikkeling van British Cycling.

Steeds regelmatiger volgden de goede resultaten in de Tour de France elkaar op. Robbie McEwen heeft de meeste etappe-overwinningen, twaalf. Hij won twee keer de groene trui, wat ook Baden Cooke lukte, in 2003. Cadel Evans stond als eerste op het podium met zijn twee tweede plaatsen, voordat in 2011 de echt grote triomf kwam met de Touroverwinning. Evans wist ook de eerste professionele wereldtitel wielrennen, in Mendrisio in 2009, te veroveren. Michael Rogers, vorig jaar sterk als knecht van Bradley Wiggins, is drie keer wereldkampioen tijdrijden. In de leeftijdscategorieën (junior en onder 23) volgen de medailles op wereldniveau elkaar snel op. Zoals al lang bij het baanwielrennen.

De Australische vrouwen hebben ook jarenlang tot de besten van de wereld behoord, met zowel olympisch goud als goud op de wereldkampioenschappen. Het land organiseert in januari de World Tour-wielerwedstrijd – Tour Down Under – en vorig jaar rolde de eerste Australische profploeg van het lanceerplatform. GreenEDGE, met de Nederlandse renners Sebastian Langeveld en Pieter Weening, maakte een mooie start met verschillende overwinningen. Met als hoogtepunt die van Simon Gerrans in Milaan-San Remo 2011. De resultaten zijn indrukwekkend en waarschijnlijk blijvend, want hieraan ligt een systematische aanpak van sportontwikkeling ten grondslag.

ETAPPE 21 • Zondag 21 juli

Start Versailles
Aankomst Parijs
Afstand 118 kilometer
Streek Île-de-France
Bijzonder Het peloton rijdt het slotcriterium
over de Champs-Élysées pas in de avond.

BOOGERDS BLIK

De Tour de France heeft de laatste jaren wat kritiek gehad, ten opzichte van de Giro en de Vuelta, die zo spannend waren. Ik denk dat de Tour dit jaar een beetje terugslaat. Zo zijn ze afgestapt van het concept van twee lange tijdritten. Ze maken de Tour voor klimmers en doen er alles aan om het spannend te houden tot het laatst, met een aankomst bergop op de laatste zaterdag.

Ook de traditionele slotrit naar Parijs moest blijkbaar net iets anders. Dus finishen ze nu 's avonds. Wel leuk misschien, zo om een verlichte Arc de Triomphe heen. Dat wordt vast een fijne

show. Voor de Nederlandse renners wel goed om alvast in het ritme te komen van de criteriums na de Tour. Die laatste dag telt toch niet. Je wilt alleen nog maar naar huis, maar moet toch nog even koersen. Het klassement verandert niet meer.

TOURHISTORIE • Laurent Fignon

Overwinningen: won de Tour de France in 1983 en 1984, maar miste de derde zege in 1989 op 8 seconden van Greg LeMond. In 1989 won hij wel de Giro d'Italia. Fignon won ook Milaan-San Remo (1989) en de Waalse Pijl (1986).

Laurent Fignon (1960-2010) was een echte Parijzenaar, geboren aan de Montmartre in het hart van de stad (Rue Davi nummer 13). Drie jaar later verhuisde het gezin naar de voorstad Tournan-en-Brie, 35 kilometer ten oosten van Parijs. Het jaar voordat hij stierf, publiceerde hij zijn memoires *Nous étions jeunes et insouciants* (de Engelse uitgave *We Were Young and Carefree* verscheen in 2010) over zijn leven als beroepsrenner, dat begon toen hij op zijn vijftiende ging fietsen voor de plaatselijke club en eindigde in 1993 tijdens de Tour de France toen hij van zijn fiets viel. Het is een oprecht en gepassioneerd verhaal dat Fignon schrijft – over zijn liefde voor de sport, over zijn talloze ups en downs gedurende zijn carrière. De periode 1980 tot 1993 gaat ook over een overgangsfase binnen de wielersport, toen het dopingspook epo per maand aanweziger en angstaanjagender werd. Toen hij de Tour in 1993 verliet en bekendmaakte dat hij stopte als beroepsrenner, geloofde hij eenvoudigweg niet dat hij nog in staat was de concurrentie te volgen. Met de intocht van epo waren alle fysiologische grenzen opgeblazen, schrijft hij.

Tussen de beroepsrenners zijn maar weinig echte Parijzenaars te vinden. Fignon onderscheidde zich met zijn achtergrond. En met zijn bril. En zijn hoofdband. Om nog te zwijgen over zijn paardenstaartje. In het peloton werd hij 'Le professeur' genoemd, een beetje om hem te tergen en vanwege zijn 'nerdy' uiterlijk, maar ook omdat ze wisten dat Fignon had gestudeerd (hij was voortijdig gestopt). Hij begon zijn profloopbaan op zijn eenentwintigste bij de legendarische sportdirecteur Cyrille Guimard van Renault-Elf. De ster van die ploeg was Bernard Hinault, en Fignon moest eerst aan de slag als Hinaults knecht, een goede leerschool. In 1983 hielp Fignon Hinault aan de zege in de Ronde van Spanje (die toen nog in het voorjaar werd verreden, voor de andere grote rondes). Guimard wilde Fignon dat jaar eerst geen startplaats geven in de Tour de France, hij was van mening dat hij te jong was en zich op zou kunnen blazen. Maar toen Hinault zich vanwege een blessure moest terugtrekken, kwam er toch een plaats vrij voor Laurent Fignon.

Laurent Fignon was een begenadigd tijdrijder. En een beetje zoals

Jacques Anquetil of Miguel Indurain legde hij de basis voor zijn eind-
overwinningen in de individuele tijdritten. Maar net zoals Anquetil
was hij niet echt populair bij de fans. Hij kon dingen zeggen als dat
hij werd betaald om de ronde te winnen, en dat waren geen uitspra-
ken die journalisten wilden horen. Anderen waren juist gefascineerd
door de man, zoals de bekende Tourfotograaf Graham Watson: 'Een
persoonlijkheid zoals Fignon duikt zelden op in de carrière van een
fotograaf. Vaak worden we aangetrokken door zulke mensen, of door
hun gevoelens of door hun mystiek. Fignon toonde alle kenmerken
van een betrokken jonge man met een turbulent leven. Hij was zeker
een groot wielrenner, maar het was zijn kwetsbaarheid die we konden vermoeden, die hem een zekere aantrekkelijkheid gaf. Kleurrijk,
zelfbewust, sterke meningen, excentriek...'

FACTS & FIGURES • Geldklassement Tour 2012

PLAATS	PLOEG	GELD
1	Sky	828.840 euro
2	Liquigas	224.110 euro
3	Lotto-Belisol	136.700 euro
4	BMC	134.190 euro
5	RadioShack	125.950 euro
6	Europcar	107.360 euro
7	FDJ	71.470 euro
8	Astana	70.490 euro
9	Saxo Bank	66.690 euro
10	Orica-Greenedge	39.440 euro
11	Rabobank	39.000 euro
12	AG2R	27.770 euro
13	Garmin	26.970 euro
14	Movistar	25.120 euro
15	Euskaltel	19.830 euro
16	Omega Pharma	19.370 euro
17	Cofidis	18.570 euro

PLAATS	PLOEG	GELD
18	Lampre	15.700 euro
19	Katjoesja	12.830 euro
20	Argos-Shimano	12.590 euro
21	Sojasun	11.480 euro
22	Vacansoleil	9.720 euro

FAVORIETEN

FAVORIETEN GELE TRUI

BOOGERDS BLIK

Kanshebbers genoeg voor het geel in Parijs. Alberto Contador, Chris Froome, Vincenzo Nibali en misschien ook Bradley Wiggins, de winnaar van vorig jaar. Maar ik zou het vooral
mooi vinden als de Nederlandse renners een beetje kunnen
meespelen in het klassement. Vorig jaar was de Tour een drama voor Nederland. We kunnen wel hoog van de toren blazen
over onze talenten, maar eigenlijk is het al twee jaar op rij hui-
len met de pet op. De mannen van wie we wat verwachten slagen er niet in om het waar te maken. Robbie Ruijgh stond in
2011 in de subtop, maar viel vorig jaar terug. Wout Poels werd
bij zijn debuut twee jaar geleden ziek, bezweek onder de druk
of allebei. En vorig jaar viel hij heel hard, net als Robert Gesink en Bauke Mollema. Daardoor lagen ze er vrij snel uit.

Je hoort die jongens soms spelen met het idee hun jachtter-
rein te verleggen. Maar de Tour is toch nog altijd het summum?
Zo was het vroeger tenminste wel. Nu hoor je steeds meer renners zeggen dat ze liever niet naar de Tour zouden gaan. 'Daar
kun je niet lekker rijden' of 'aanvallen heeft er toch geen nut'. Ik
heb het zelf ook meegemaakt, die gedachten. In 1998 werd ik
vijfde. Maar daarna – van 1999 tot en met 2005 – reed ik eigenlijk belabberde Tours. Stel je voor: het hele jaar doe je goed mee,
maar in die ene wedstrijd ben je ineens nergens. Dat bleef aan
me vreten, fysiek en mentaal. Reken maar. Je doet er zoveel voor
en je wordt gewoon weggereden. En vervolgens word je afge-

maakt door de pers. Dat soort dingen moeten ook in die koppen spelen van Gesink, Mollema of Laurens ten Dam, dat weet ik zeker. In een superzware Vuelta eindig je in de top acht. En in de Tour kom je er al jaren niet aan te pas. Ik hoop echt voor die jongens dat het er nu wel een keer uitkomt.

Vorig jaar vond ik de Tourselectie van de Rabo-ploeg zo raar. Het zal met sponsorbelangen te maken hebben gehad, maar volgens mij is het heel simpel. Bij Blanco startten ze dit seizoen met bijna frivool wielrennen. Aanvallen, erin vliegen. Alles lukte, volop Nederlands succes. Zo zouden ze de Tour ook moeten rijden! Jonge gasten opstellen, veel Nederlanders. Gesink, Mollema, Ten Dam, Tom-Jelte Slagter. Sprinter Theo Bos gewoon laten rijden. En uitstralen: dit is het Nederlands wielrennen, met deze mannen gaan we een nieuwe sponsor pakken. Durven! Laat desnoods een talent als Wilco Kelderman tien dagen meerijden. Toon aan het publiek dat je bijzonder bent. Het nieuwe wielrennen, jong, Nederlands. Maar begin niet aan een Mark Renshaw of een paar 'halve' Spanjaarden. Dat heeft geen nut.

Veel experts roepen dat 2008 de grens is voor 'het nieuwe wielrennen'. Het wielrennen is sindsdien schoner geworden, het is nu voor een jonge renner een betere tijd om wielrenner te zijn. Denk ik tenminste. Wij hebben in Nederland talent zat, dat zegt iedereen ook. Ik kan de Belgische televisie niet aanzetten of ze hebben het erover. Overal zingt het al jaren rond: in Nederland is het super, qua talent. En op sommige momenten wordt er ook echt wel goed gepresteerd. Toch blijft het Nederlandse wielrennen de laatste jaren een beetje achter in de echt grote koersen. Of eigenlijk: we komen er nauwelijks aan te pas.

Ik snap dat niet. Zit ik thuis op de bank naar Parijs-Nice te kijken, zie ik ineens weer zo'n nieuwe Amerikaan schitteren, Andrew Talansky. Ik wil niemand afzeiken, helemaal niet. Maar Slagter heerst in januari in de Tour Down Under en komt er in Tirreno niet aan te pas. Gesink kan in 2008 gewoon

Parijs-Nice winnen, op één mindere afdaling na. Op de Ventoux reed hij toen iedereen naar huis. Dat is alweer vijf jaar geleden. Maar nu lukt het in de Tour helemaal niet, door welke oorzaak ook. Het gaat me niet om één renner, maar om het totale beeld. In een periode dat het voor talenten beter is geworden om in het wielrennen terecht te komen, breken de Nederlandse talenten niet door.

Harold Knebel is in 2008 aan het roer gekomen als directeur bij de Rabo-ploeg. Hij is de renners almaar beter gaan betalen. In mijn tijd werd je nog onder de duim gehouden als je niet presteerde in de grote koersen. Je kreeg er echt geen tonnetje bij omdat je zo goed had gereden in de Ronde van Murcia. Nee, je moest het laten zien in de Tirreno of Parijs-Nice. En daarna in de klassiekers en de Tour. Knebel heeft het op zich wel netjes gedaan, vanuit een bredere kijk op het wielrennen. Hij wist misschien hoe zwaar het voor die gasten was om te presteren en wilde de druk niet verhogen. Maar ik hoop toch dat die gasten zelf nog genoeg eergevoel hebben om niet alleen in Maleisië te schitteren. Je fietst niet louter voor het geld. Ook de eer en de roem tellen mee. Die haal je in grote koersen. Het wielrennen is toch nog steeds Parijs-Nice, Tirreno, klassiekers en dan de Tour. Bij de mensen blijft alleen hangen wie er daar wint. Ik hoop nog steeds op de Nederlanders!

ALBERTO CONTADOR

BIOGRAFIE
Geboren Madrid, 6 december 1982
Ploeg Saxobank-Tinkoff
Erelijst Parijs-Nice (2007), Ronde van Baskenland (2008), eindklassement Giro d'Italia (2008), eindklassement Vuelta a España en 2 ritten (2008), Ronde van Baskenland (2009), eindklassement Giro d'Italia en drie ritten (2011)*, eindklassement Vuelta en rit (2012)

Tour de France 31e (2005), 1e en rit (2007), 1e en 2 ritten (2009), gediskwalificeerd wegens doping (2010), 5e (2011)*

BOOGERDS BLIK

Vorig jaar was de Tour totaal anders door het ontbreken van Contador. Nibali had toen nog wel een paar mooie aanvallen in de bergen, maar Wiggins verblikte of verbloosde niet. Met Contador erbij zal dat dit jaar toch even anders zijn. Dat mannetje blijft gaan tot hij er dood bij neervalt. Hij zal alle trucs uit de kast halen, zelfs uit kansloze positie. Dat zag je in 2011 ook, met zijn vroege aanval op Evans in de rit naar de Alpe d'Huez. Contador blijft voor mij een van de grote favorieten in elke ronde waarin hij start.

Vorig jaar in de Vuelta leek hij op een gegeven moment kansloos voor de eindzege. Je zag hem wel steeds aanvallen bergop, maar nooit echt verschil maken. Tot het moment waarop Rodríguez knakte. Bam! En het was meteen gebeurd. Aanval Contador en hij won alsnog de Vuelta. Terwijl Rodríguez later die Vuelta wel weer goed was. Maar toen had Contador het verschil al gemaakt. Dat zag je in de Tour ooit met Erik Breukink, die één slecht moment had op de Tourmalet. Greg LeMond zag het en was meteen weg. Later won Breuk wel gewoon weer de slottijdrit, maar LeMond kon hij niet meer inhalen.

Contador heeft zoveel ervaring, hij kan tien keer sterven op de fiets. En hij heeft Bjarne Riis in de auto. Echt een ploegleider die ieder gaatje zoekt. Wat Sky doet in de voorbereiding, doet Riis in de koers zelf. Hij laat niets aan het toeval over, laat geen enkele steek vallen, blijft altijd bezig met plannetjes. Dat maakt het wielrennen wel charmant. En ze hebben de ploeg ook aardig versterkt hoor, met Nicholas Roche, Jakob Fuglsang en Roman Kreuziger.

---

* Uit de uitslag geschrapt wegens later opgelegde schorsing

LAURENS TEN DAM

BIOGRAFIE
Geboren Zuidwolde (Nederland), 13 november 1980
Ploeg Blanco Pro Cycling
Erelijst La Marmotte (2003), 8e eindklassement Vuelta (2012)
Tour de France 22e (2008), 60e (2009), 58e (2011), 28e (2012)

BOOGERDS BLIK
Voor Laurens ten Dam geldt in iets mindere mate hetzelfde als voor Robert Gesink: als je in de Vuelta een goed klassement kunt rijden, moet je in de Tour ook iets kunnen laten zien. Ten Dam werd vorig jaar achtste in Spanje, in een Vuelta die qua routeschema echt niet voor de poes was. En hij deed daar niet eens veel onder voor Gesink of Froome. Als hij in de Tour op een zware dag in de bergen een keer meezit, kan hij misschien voor ritwinst gaan en zijn 22e plaats uit 2008 verbeteren.

CADEL EVANS

BIOGRAFIE
Geboren Katherine (Australië), 14 februari 1977
Ploeg BMC
Erelijst Ronde van Romandië (2006), WK weg (2009), Waalse Pijl (2010), puntenklassement Giro (2010), Tirreno Adriatico (2011), Ronde van Romandië (2011), Critérium International (2012)
Tour de France 8e (2005), 4e (2006), 2e en ritwinst (2007), 2e (2008), 30e (2009), 26e (2010), 1e en ritwinst (2011), 7e (2012)

BOOGERDS BLIK
Cadel Evans wordt wat minder dan in zijn beste jaren 2010 en 2011. Hij is ouder natuurlijk, zesendertig jaar alweer. Daar zag

je in de vorige Tour al tekenen van. Maar in zo'n zware Tour als die van 2013, met het zwaartepunt pas in de derde week, moet je hem niet uitvlakken. Hij weet hoe hij zich moet voorbereiden en koerst altijd attent. Ervaren ploeggenoten als Philippe Gilbert en Thor Hushovd kunnen bovendien een koers controleren. Evans kan zeker nog kort eindigen in het klassement, maar ik zie hem de Tour niet meer winnen.

CHRISTOPHER FROOME

BIOGRAFIE
Geboren Nairobi (Kenia), 20 mei 1985
Ploeg Sky
Erelijst rit in Vuelta (2011), rit in Tour (2012), Olympisch brons tijdrit (2012)
Tour de France 84e (2008), 2e (2012)

BOOGERDS BLIK
Het lijkt erop dat Sky in de Tour de France voor Froome gaat kiezen als kopman. De nummer twee van vorig jaar is een betere klimmer dan Wiggins en zijn tijdrit lijkt goed genoeg ten opzichte van de andere favorieten. Hun ploeg is natuurlijk ijzersterk. Froome is daarom in mijn ogen een grote kanshebber voor de eindzege. In de Ronde van Oman, die hij won, liet hij dit seizoen meteen al zien dat hij het kopmanschap aankan. Maar zo'n rondje is wel iets anders dan de Tour natuurlijk. Ik wil daarom eerst nog even zien hoe deze jongen omgaat met alle drukte om zich heen. Hij heeft nu één keer heel sterk gereden, maar toen was Wiggins bliksemafleider. Kan Froome net zo cool blijven als Wiggins, als de hele wereld meekijkt?

De manier waarop hij vorig jaar reed, pleit volgens mij niet helemaal in zijn voordeel. Hij rijdt bergop zijn eigen kopman eraf, gaat omkijken, wachten en hem nog eens losrijden. Dan heb je toch iets in je van een ongeleid projectiel. En ik weet niet hoe hij met de druk in de koers omgaat. Froome is een jonge jongen. Als hij in het geel komt, zal niet iedereen zich daarbij meteen neerleggen en zal hij van alle kanten worden geattaqueerd. Ik moet zelfs nog zien of Wiggins van zins is om zich meteen helemaal weg te cijferen. Als hij goed uit de Giro komt, weet hij dat er voor hemzelf wat te halen is. En met een tegenstander als Alberto Contador is het voor Sky sowieso minder makkelijk te controleren dan vorig jaar.

THOMAS DE GENDT

BIOGRAFIE
Geboren Sint-Niklaas (België), 6 november 1986
Ploeg Vacansoleil-DCM
Erelijst 3e en ritzege in Giro (2012)
Tour de France 63e (2011)

BOOGERDS BLIK
Knap wat Thomas De Gendt vorig jaar op de laatste zaterdag in de Giro deed op de Stelvio: vroeg aanvallen en de rit winnen. Derde in het eindklassement, dat hadden de Belgen lang niet meer meegemaakt. Hij zal in de Tour ook best mooie dingen kunnen laten zien. Twee jaar geleden was hij op het einde van de Tour ijzersterk op Alpe d'Huez en in de slottijdrit bij Grenoble. Maar is hij echt een renner voor het klassement, waar alle schijnwerpers op zijn gericht? Ik geloof er niet in. De Gendt lijkt me niet iemand die je volledig de druk van kopman moet geven. Ja, hij kan sterk zijn in de slotweek, dat heeft hij in de Giro en Tour al bewezen. Maar dan kwam hij altijd vanuit de luwte. Nu wil Vacansoleil-DCM hem voluit uitspelen voor het algemeen klassement, dat is iets heel anders. Dat doet wel wat met een renner, kan ik uit ervaring zeggen. Het is niet altijd makkelijk.

TEJAY VAN GARDEREN

BIOGRAFIE
Geboren Tacoma (vs), 12 augustus 1988
Ploeg BMC
Erelijst Circuito Montanes (2009), rit Ronde van Colorado (2012)
Tour de France 82e (2011), 5e en jongerenklassement (2012)

BOOGERDS BLIK

Tejay van Garderen is een jonge gast, die vorig jaar heel goed heeft gereden. Alleen vond ik hem in de laatste week nog wat te veel mindere momenten hebben ten opzichte van de echte toppers. Dat kan niet, als je op het podium wil eindigen in de Tour. Nu zal Cadel Evans toch weer kopman zijn bij BMC, met Van Garderen wat in de luwte. Dat hoeft voor hem geen nadeel te zijn. Hij is gewoon een goeie klassementsrenner. Rijdt een verschroeiende tijdrit en bergop ga je hem niet snel lossen. Dus er zit zeker wat in. Maar of hij de echte topklasse heeft om mee te doen voor de eindzege? Van Garderen moet het eerder hebben van zijn veelzijdigheid en regelmaat. Om drie weken op zijn allerhoogste niveau te rijden, moet hij misschien nog iets ouder zijn. Maar hij gaat zich in de strijd mengen voor de top vijf.

ROBERT GESINK

BIOGRAFIE
Geboren Varsseveld (Nederland), 31 mei 1986
Ploeg Blanco Pro Cycling
Erelijst Ronde van Emilië (2009), GP Cycliste Montreal (2010), Ronde van Emilië (2010), Ronde van Oman (2011), Ronde van Californië (2012)
Tour de France opgave (2009), 5e (2010), 33e (2011), opgave (2012)

BOOGERDS BLIK

Ik denk nog steeds dat Gesink in staat is om top tien te rijden in de Tour de France. Je moet optimistisch zijn, waarom niet? Vorig jaar eindigde hij als zesde in Vuelta. Dat moet hij ook in de Tour kunnen. In Spanje reden Contador, Rodríguez en Valverde op topniveau. Achter die drie had je Froome, de nummer twee van de Tour. Het verschil tussen hem en nummer zes Gesink is zeker nog menselijk. Dus het moet gewoon kunnen, het zit er zeker in.

Gesink heeft de afgelopen twee jaar natuurlijk veel tegenslag gehad in de Tour. Daardoor heeft hij de hoge verwachtingen niet kunnen waarmaken. Dat zal hem irriteren. Maar het gaat er ook om hoe je met tegenslagen omgaat. Ik kan natuurlijk niet in Roberts hoofd kijken, of in zijn lichaam. Maar vorig jaar heb ik wel gezegd dat hij misschien beter niet had kunnen afstappen. Wie weet was hij erdoor gekomen en had hij nog een rit kunnen winnen. Zoals Valverde deed. Nu zit je met een rotgevoel bij die Tour. Niet voor niks zet hij dit jaar voor het eerst de Ronde van Italië op zijn programma.

Misschien rijdt hij best goed in de Giro. Maar dat kan ook weer een probleem worden. Dan zijn de verwachtingen in Nederland meteen weer torenhoog voor de Tour. En hoe je het ook wendt of keert, het wordt er met de jaren niet makkelijker op. Dat hij een paar keer hard op zijn kloten is geslagen, zal hem niet helpen. De angst voor valpartijen heeft hij gewoon. Als je een paar keer achter elkaar hard valt, word je daar niet zekerder van. Aan de andere kant zou het zo jammer zijn als een groot rondetalent in Nederland daardoor verloren gaat.

Je weet dat je door die vlakke ritten heen moet. Het gedrang op Corsica, het gewring in de eerste week. Dat zijn geen leuke vooruitzichten voor Gesink. Maar als je eenmaal van start bent gegaan, heb je niet meer zoveel tijd voor dat soort gedachten. Het zou mooi zijn als hij er nu een keer ongeschonden doorheen komt en kan laten zien waartoe hij in staat is in de bergen. Aankomsten op de Mont Ventoux en Alpe d'Huez moeten hem toch aanspreken. En hij is weer een jaar ouder, heeft het in de Tour ook al een keer bewezen in 2010. Toen werd hij nota bene vijfde!

Robert kan drie weken rijden zonder naar de kloten te gaan, dat blijft een bijzondere kwaliteit van hem. Dan moet het toch mogelijk zijn om een fatsoenlijk klassement neer te zetten in de Tour? Door zich vooraan te handhaven is de top tien zeker reëel. En het zou helemaal gaaf zijn als hij podium kon rijden. Dan moet hij bergop een keer flink uithalen, en mannen als Nibali en Van den Broeck eraf rijden. Ook dat is op een goede dag zeker mogelijk. Hij heeft dat al laten zien in andere wedstrijden. Gesink moet het gewoon durven. Als hij goed is, kan hij andere renners laten kraken.

RYDER HESJEDAL

BIOGRAFIE
Geboren Victoria (Canada), 9 december 1980
Ploeg Garmin-Sharp
Erelijst ploegentijdrit Giro (2008), rit Vuelta (2009), ploegentijdrit Tour (2011), eindklassement en ploegentijdrit Giro d'Italia (2012)
Tour de France 47e (2008), 49e (2009), 6e (2010), 18e (2011), opgave (2012)

BOOGERDS BLIK
Ryder Hesjedal vind ik heel moeilijk te polsen. Je zou zeggen: wie de Giro wint, kan ook hoog eindigen in de Tour. Maar op de een of andere manier zie ik in hem geen podiumkandidaat. Een topresultaat bevestigen is zo moeilijk. Christophe Rinero werd in 1998 vierde in de Tour en won de bergtrui. Je had de Duitser Markus Fothen in de witte trui. Nooit meer gezien. De Amerikaan Christian VandeVelde eindigde verrassend in de top tien. En Patrick Jonker is in 1996 nog eens

twaalfde geworden. Een jaar later was het een heel ander verhaal. Hesjedal werd zelf een paar jaar geleden zesde. Nu is hij wat ouder, rijper. Ik hoop voor hem dat hij zijn eigen beste prestatie kan verbeteren. Maar ik verwacht geen podium.

BAUKE MOLLEMA

BIOGRAFIE
Geboren Groningen (Nederland), 26 november 1986
Ploeg Blanco Pro Cycling
Erelijst puntenklassement Vuelta (2011)
Tour de France 70e (2011), opgave (2012)

BOOGERDS BLIK
Bauke Mollema zag je vorig jaar ineens een grote stap zetten in de zware klassiekers. Hij viel niet altijd op, maar zijn klasseringen liegen niet: 10e in de Amstel, 7e in Waalse Pijl, 6e in Luik, 5e in de Clásica San Sebastián en 7e in de Ronde van Lombardije. Dan ben je gewoon een hele goede renner. In de Giro van 2010 en de Vuelta van 2011 heeft hij ook al mooie dingen laten zien als klassementsrenner. Alleen viel Mollema me vorig jaar een beetje tegen in de Vuelta, toen hij wat achterbleef bij Gesink en Ten Dam. Blanco schuift hem nu naar voren voor de Tour, misschien kan hij een stap maken.

In de Tour van vorig jaar vond ik hem al sterk rijden aan het begin. Vooral de rit naar Seraing staat me bij, toen Gesink en Mollema steeds attent van voren reden en ook kort eindigden. Zonde dat hij later moest opgeven. Mollema heeft misschien iets minder ervaring met grote ronden dan Gesink, maar fysiek doet hij niet veel voor hem onder. En er zit bij hem ook een wat andere kop op. Dat kan op een gegeven moment in zijn voordeel gaan spelen. Wat ik wel mooi vind, is dat hij zich gewoon ertussen gooit. Hij sprint mee, laat zich niet zomaar flikken. Dat vind ik echt een pluspunt. Hij toont vaak 'grinta', zoals de Italianen zeggen. Lef. Dit seizoen liet hij in de Tirreno ook meteen zien dat hij er stond in een grote wedstrijd. Binnen een ploeg is dat wel belangrijk.

VINCENZO NIBALI

BIOGRAFIE
Geboren Messina (Italië), 14 november 1984
Ploeg Astana
Erelijst GP Ouest France Plouay (2006), rit Giro (2007), 2 ritten Giro (2010), eindklassement en rit Vuelta (2010)
Tour de France 20e (2008), 7e (2009), 3e (2012)

BOOGERDS BLIK
Voor mij is Vincenzo Nibali een dikke podiumkandidaat deze Tour. Vorig jaar vond ik hem al heel sterk, hij was de enige die het Wiggins en Froome een beetje lastig kon maken in de bergen. Naar een grote ronde toewerken kon Nibali al langer. Dat liet hij al zien in de Giro en de Vuelta van 2010, die hij won. De Tour is nog wat anders, maar ook daar heeft hij zich bewezen met zijn derde plaats van vorig jaar. In de bergen is hij goed, zijn tijdrit is verbeterd. Nibali heeft in 2012 duidelijk een stap gezet en ik denk dat hij dat dit jaar zal bevestigen. Hij is gewoon weer een jaar sterker.

Dat hij van Liquigas-Cannondale naar Astana verhuisde, geeft wel aan dat hij ambities heeft. De Kazachen hebben op papier een heel sterke ploeg, met een paar goede klimmers voor de Tour. Jakob Fuglsang heeft al laten zien dat hij tot bepaalde dingen in staat is. Hij werd vorig jaar Deens kampioen tijdrijden en won de Ronden van Luxemburg en Oostenrijk. Fuglsang kan kilometers lang op kop sleuren, en zo zijn kopman bijstaan in de bergen. Janez Brajkovič vind ik ook een aparte renner. Lijkt me meer iemand voor de kleinere ronden, won al eens de Dauphiné. Maar vorig jaar eindigde hij ook als negende in de Tour. Een lekkere renner om in de ploeg te hebben, hij kan zeker van waarde zijn bergop. Maar of ze Nibali aan de Tourzege kunnen helpen? Ze worden vooral belangrijk mocht Nibali het geel pakken. Dan kunnen ze in de zware ritten op kop rijden en de koers bepalen.

THIBAUT PINOT

BIOGRAFIE
Geboren Mélisey (Frankrijk), 29 mei 1990
Ploeg FDJ
Erelijst Ronde van de Elzas (2011), Wielerweek Lombardije (2011)
Tour de France 10e en rit (2012)

BOOGERDS BLIK
Iedereen zal Pierre Rolland noemen als Franse favoriet voor de Tour. Ik niet. Ongetwijfeld zal hij weer een mooi ritje proberen te winnen, net als de afgelopen twee jaar. Dat waren zeker straffe acties, op Alpe d'Huez en La Toussuire. Maar ik zie in Rolland niet echt een renner voor het eindklassement. Op z'n best top tien. Thibaut Pinot van FDJ is minder bekend dan Rolland, maar hem vind ik meer de klassementsman van de Fransen. Vorig jaar won hij een mooie rit en heeft hij er steeds lang aangehangen. Je zag Pinot niet zo vaak, maar hij zat er altijd bij. Dat is een uitzonderlijke kwaliteit voor iemand die toen pas tweeëntwintig jaar was. Alleen zie je bij jonge renners wel vaak dat het tweede jaar moeilijker is dan het eerste. Bevestigen is gewoon lastig, laat staan verbeteren. De verwachtingen zijn hoger, de druk neemt toe. Zeker in Frankrijk, waar ze sinds Bernard Hinault al wachten op een nieuwe Tourwinnaar.

JOAQUIM RODRIGUEZ

BIOGRAFIE
Geboren Parets del Vallès (Spanje), 12 mei 1979
Ploeg Katjoesja
Erelijst Rit Vuelta (2003), Catalaanse Week (2004), Spaans kampioen (2007), Ronde van Catalonië (2010), rit Vuelta (2010), 2 ritten Vuelta (2011), Waalse Pijl (2012), 2e en 2 ritten Giro (2012), 3e en 3 ritten Vuelta (2012), Ronde van Lombardije (2012)
Tour de France 7e en rit (2010)

BOOGERDS BLIK
Joaquim Rodríguez is al twee jaar lang de beste renner van de wereld. Vorig jaar won hij in het voorjaar de Waalse Pijl, hij reed constant vooraan en won ritten in de Giro en de Vuelta, en ook nog de Ronde van Lombardije. Toch wel een serieus lijstje! Ik vond Rodríguez in de Giro en de Vuelta van vorig jaar echt verbeterd als klassementsrenner. Maar de Tour? Hij reed er pas één, in 2010 won hij in een rit naar Mende. In het klassement kwam hij toen nog wel wat tekort tegen jongens als Contador en Andy Schleck. Op explosieve klimmetjes gaat niemand hem eraf rijden. Maar in de echt lange Tourklimmen, zoals de Mont Ventoux, denk ik dat Rodríguez het net niet redt tegen de echte toppers in dat werk. Hij is goed genoeg om in de Tour ritten te winnen, maar een klassement… Zijn tijdrit is ook niet goed genoeg, daar verliest hij te veel. Ik geloof daarom niet dat hij de Tour wint. Maar als hij zich er helemaal op zet, kan hij wel kort eindigen in Parijs.

WOUT POELS

BIOGRAFIE
Geboren Venray (Nederland), 1 oktober 1987
Ploeg Vacansoleil-DCM

Erelijst rit Ronde van Ain (2011)
Tour de France opgave (2011), opgave (2012)

BOOGERDS BLIK

Verschrikkelijk hard gevallen in de Tour van vorig jaar, de rest van het seizoen eruit, maar Wout Poels is dit jaar sterk teruggekomen. In de Tirreno eindigde hij meteen als tiende en beste Nederlander. Hij kan dat goed, die kleinere etappekoersen. En in de Vuelta liet hij zich in 2011 ook al goed zien op de Angliru. Maar de Tour is nog iets anders. Daar moet je altijd maar weer wringen. De hele dag van voren rijden, gefocust zijn. Voor de koers stress, in de koers stress en na de koers stress. Misschien is het voor Poels wel goed dat Vacansoleil nu Thomas De Gendt als kopman heeft. Want een renner als Woutje moet juist niet te veel druk hebben. Hij heeft die zware crash gehad, eerst eens kijken hoe hij daar doorheen komt. Het is al lang mooi dat hij weer kan meedoen. Laat Poels maar lekker vrijuit koersen.

ANDY SCHLECK

BIOGRAFIE
Geboren Luxemburg, 10 juni 1987
Ploeg Radioshack
Erelijst jongerenklassement Giro (2007), Luik-Bastenaken-Luik (2009)
Tour de France 12e en witte trui (2008), 2e en witte trui (2009), 2e en 2 ritten en witte trui (2010)*, 2e en rit (2011)

BOOGERDS BLIK
Vorig jaar had ik al geen hoge verwachtingen van Andy Schleck. Hij kon toen niet meedoen na een val in de Dauphiné Libéré en

---

* Na diskwalificatie van Alberto Contador uitgeroepen tot eindwinnaar

heeft daarna nergens meer kunnen overtuigen. Dit jaar doet zijn broer niet mee door een schorsing, dat zal ook in zijn kop zitten. Andy heeft mooie dingen laten zien in de Tour, denk aan die ritzege op de Galibier in 2011. Maar ik denk dat hij al langer niet lekker in zijn vel zit. In het begin van het seizoen was hij al blij als hij een koers uitreed. Daarom kan ik er kort over zijn: Andy Schleck zet ik niet bij de favorieten voor deze Tour.

ALEJANDRO VALVERDE

BIOGRAFIE
Geboren Las Llumbreras (Spanje), 25 april 1980
Ploeg Movistar
Erelijst 2 ritten Vuelta (2003), rit Vuelta (2004), Luik-Bastenaken-Luik (2006), Waalse Pijl (2006), rit Vuelta (2006), Luik-Bastenaken-Luik (2008), Dauphiné Libéré (2008), Spaans kampioen weg (2008), Clásica San Sebastián (2008), rit Vuelta (2008), Dauphiné Libéré (2009), Vuelta a España (2009), 2e en 3 ritten Vuelta (2012), puntenklassement Vuelta (2012), Ruta del Sol (2013)
Tour de France rit en opgave (2005), opgave (2006), 6e (2007), 9e en 2 ritten (2008), 20e en rit (2012)

BOOGERDS BLIK
Te oud, zou je zeggen van Alejandro Valverde. Na zijn schorsing van twee jaar lijkt zijn sprint bergop bovendien wat afgevlakt. Maar vorig jaar kwam hij in de Tour na een val toch aardig terug, met een mooie ritzege in de Pyreneeën. En de Vuelta mocht er daarna ook zijn. Met Contador en Rodriguez zette hij daar de toon. Maar in het verleden is wel gebleken dat hij net iets tekortkomt voor het klassement van de Tour de France. Dat zal er met de jaren niet beter op worden. Nee, ik zet hem niet op het podium. Ritzeges, die kan hij wel behalen.

JURGEN VAN DEN BROECK

BIOGRAFIE
Geboren Herenthals (België), 1 februari 1983
Ploeg Lotto-Belisol
Erelijst rit Dauphiné Libéré (2011)
Tour de France 15e (2009), 4e (2010), opgave (2011), 4e (2012)

BOOGERDS BLIK
Vaste waarde voor het Tourklassement intussen, Jurgen Van den Broeck. Twee keer als vierde geëindigd in Parijs, daartussendoor één keer door pech uitgevallen in 2011. Dat jaar was hij misschien wel op z'n best. Hij had toen ook een rit bergop gewonnen in de Dauphiné. Ik had wel eens wat bedenkingen over Van den Broeck, maar dat was toen meteen voorbij. Hij kan klimmen, weet hoe hij zich moet voorbereiden en in zijn ploeg zijn de doelen duidelijk. Ze willen ritzeges met sprinter André Greipel en het klassement voor Van den Broeck. Hij heeft niet veel ploegmaten voor in de bergen, alleen Jelle Vanendert. Maar vorig jaar bleek dat geen probleem. Van den Broeck is toch niet iemand die zelf de koers bepaalt, meer een listige renner die lang kan volgen. Bescheiden jongen ook, die niet snel zal gaan 'fladderen'. Hij zal er zeker weer staan in de Tour.

BRADLEY WIGGINS

BIOGRAFIE
Geboren Gent (België), 28 april 1980
Ploeg Sky
Erelijst wk baan achtervolging (2003), olympisch kampioen baan achtervolging (2004), wk baan ploegachtervolging en achtervolging (2007), wk baan ploegachtervolging en koppelkoers (2008), olympisch kampioen baan ploegachtervol-

ging (2008), Brits kampioen tijdrit (2009), proloog Giro (2010), Brits kampioen tijdrit (2010), Dauphiné Libéré (2011), Brits kampioen tijdrit (2011), Parijs-Nice (2012), Ronde van Romandië (2012), Dauphiné Libéré (2012), olympisch kampioen tijdrit (2012)

Tour de France 123e (2006), opgave (2007), 4e (2009), 24e (2010), opgave (2011), 1e en twee ritten (2012)

BOOGERDS BLIK

Bradley Wiggins heeft na zijn Tourzege van vorig jaar steeds gezegd dat dit seizoen de Giro zijn hoofddoel zou worden. Maar zo'n uitspraak kan hij ook doen om de druk er voor zichzelf een beetje van af te halen. De Tour lijkt hem dit jaar minder goed op het lijf geschreven dan vorig jaar, toen je twee lange tijdritten had en minder aankomsten bergop. Dus is de kans groter dat het nu voor hem minder wordt dan vorig jaar. Met twee supertijdritten maakte hij toen het verschil. Ik was nooit een groot fan van Wiggins. Maar vorig jaar heeft hij het cool gedaan. Hij was toen het hele jaar goed, met eindzeges in Parijs-Nice, Romandië, Dauphiné en olympisch goud in Londen. En in de Tour wist hij precies wat hij moest doen, binnen en buiten de koers. Hij bleef steeds goed op Nibali letten, eigenlijk zijn enige serieuze rivaal. Nooit gekke acties uitgehaald, heel berekenend, steeds blijven rijden. Hij had ook goede afspraken gemaakt met zijn ploeggenoot Froome en liet zich nooit door journalisten uit zijn tent lokken. Ook niet toen er geruchten kwamen dat het niet zou boteren tussen die twee. Hij zal best akkoord zijn met het kopmanschap van Froome dit jaar. Maar als hij zelf goed is en het valt zijn kant op, blijft hij een serieuze kanshebber.

FAVORIETEN GROENE TRUI

BOOGERDS BLIK

Omega Pharma-Quickstep probeert een trein op de rails te krijgen voor Mark Cavendish. Lotto-Belisol heeft allang een goede trein voor André Greipel, Argos-Shimano pretendeert hetzelfde met Marcel Kittel en wie weet John Degenkolb. Dat spel vind ik wel gaaf om te zien. Voorheen had je vaak maar één trein, met HTC of Sky. De rest van de sprinters moest het maar een beetje zelf doen. Nu heb je in de Tour sowieso drie treinen. Dat geeft op zich al spektakel. Welk treintje gaat leiden?

Cavendish en Greipel horen eigenlijk te duelleren voor de sprinterstrui, zij zijn de snelste sprinters. Maar je krijgt vaak een wedstrijd in een wedstrijd om zo'n trui. De wat betere klimmers gaan proberen om er heel lang aan te hangen en zo punten te sprokkelen in een bergrit. Zoals Thor Hushovd in 2011 prachtig deed, die ging aanvallen op de Aubisque en sloeg zo zijn slag. In principe hoort die trui bij een sprinter, maar met een allroundtopper als Peter Sagan, Edvald Boasson Hagen of John Degenkolb zou ik ook vrede hebben.

De Blanco-ploeg doet er de laatste tijd veel aan om mee te tellen in de sprints, alleen in de verkeerde wedstrijden. Ik lees dan een tweet van hun ploegleiding: 'Nokere Koerse afgelast, jammer want de sprinttrein was *ready to rock*!' Maar je kunt beter 'ready to rock' zijn in de Tirreno dan in Nokere Koerse. Vorig jaar hadden ze in de Tour Mark Renshaw voor de sprint, maar het lijkt me verstandig dat ze die na dat debacle thuislaten. Leuke renner om mee te sprinten in de Ronde van Murcia of Veenendaal-Veenendaal, maar niet genoeg zwaargewicht voor de Tour. Te licht om zelf te winnen. Hij is drieëndertig, anders had het er al uit moeten komen. Dat is geen kritiek maar een vaststelling.

Theo Bos rijdt de Tour dit jaar weer niet. Van hem had ik juist verwacht dat hij nu echt de stap zou gaan maken. Ze hebben bij Blanco toch Jeroen Blijlevens als sprintcoach? Ik had gehoopt dat ze het hadden aangedurfd om met Theo naar de Tour te gaan. Ik ben er nog steeds van overtuigd dat hij het kan. En wil je wat, dan moet je het wel een keer proberen. Als alles klopt, kan hij Greipel, Kittel en Cavendish verslaan. Dan heb je eindelijk weer een Nederlandse sprinter die een Tourrit zou winnen. Ik zou Theo Bos altijd meenemen. Dat had van lef getuigd. Nu moet Nederland het doen met Tom Veelers, die een belangrijke pion is in de trein van Argos.

EDVALD BOASSON HAGEN

BIOGRAFIE
Geboren Lillehammer (Noorwegen), 17 mei 1987
Ploeg Sky
Erelijst Noors kampioen tijdrijden (2007), Noors kampioen tijdrijden (2008), Gent-Wevelgem (2009), Noors kampioen tijdrijden (2009), 2 ritten Giro, Eneco Tour (2009), Ronde van Groot-Brittannië (2009), Noors kampioen tijdrijden (2010), Vattenfall Cyclassics (2011), Eneco Tour (2011), Noors kampioen tijdrijden (2011), Noors kampioen weg (2012) GP Ouest France-Plouay (2012)
Tour de France 116e (2010), 53e en 2 ritten (2011), 56e (2012)

BOOGERDS BLIK
Edvald Boasson Hagen is een enorme klasbak, die de Tour goed aankan. Twee jaar geleden won hij twee ritten, vorig jaar

werkte hij in de bergen voor Bradley Wiggins en in de sprints voor Mark Cavendish. Hij mocht in twee ritten voor eigen succes gaan, en reed toen sterk. Ook dit jaar zit hij met andere belangen in Team Sky. Froome en Wiggins rijden voor het klassement. Maar aan de andere kant hoeft hij in de vlakkere ritten niet meer de sprint aan te trekken voor Cavendish, die weg is. In de wat lastigere etappes op Corsica kan hij als meesterknecht Froome en Wiggins voorin houden en zelf meesprinten voor de ritzege in een uitgedund peloton. Zo pakt hij misschien al meteen veel punten voor het groen en wordt dat een doel.

MARK CAVENDISH

BIOGRAFIE
Geboren Douglas, Man (Groot-Brittannië), 21 mei 1985
Ploeg Omega Pharma-Quickstep
Erelijst WK baan koppelkoers (2005), Scheldeprijs (2007), WK baan koppelkoers (2008), Scheldeprijs (2008), 2 ritten Giro (2008), Milaan-San-Remo (2009), 4 ritten Giro (2009), 4 ritten en puntenklassement Vuelta (2010), Scheldeprijs (2011), 3 ritten Giro (2011), WK weg (2011), Kuurne-Brussel-Kuurne (2012), 3 ritten Giro (2012), 4 ritten en eindklassement Qatar (2013)
Tour de France opgave (2007), 4 ritten en opgave (2008), 131e en 6 ritten (2009), 154e en 5 ritten (2010), 130e en 5 ritten en groene trui (2011), 143e en 3 ritten (2012)

BOOGERDS BLIK
Mark Cavendish was niet tevreden over de Tour van vorig jaar en stapte mede daarom over naar Omega Pharma-Quickstep. Maar hij won in 2012 nog altijd drie ritten, hoor. En die hij won, gingen op een behoorlijk mannelijke manier. Niet dat het volledig werd aangetrokken door een ploeg of zo. Dan zie je goed welke veerkracht Cavendish heeft. Een goede trein

maakt het alleen maar makkelijker voor hem, maar echt nodig heeft hij die niet. In 2009 haalde hij in Milaan-San-Remo
op vijfentwintig meter voor de streep zowat nog vijfentwintig
meter achterstand in tegen Heinrich Haussler. Hij liep bijna
een op een in. Bizar. Dat is Cavendish. In mijn ogen nog altijd
de beste sprinter van allemaal.

Bij de ploeg van Patrick Lefevere heeft hij een heel sterke
ploeg om zich heen die op papier geen andere doelen heeft
dan ritzeges en groen. Ze hebben wat outsiders als de jonge
Pool Michal Kwiatkowski, maar of die de Tour aankan voor
het klassement? Sylvain Chavanel zal soms zijn eigen kansen
mogen gaan beproeven, zoals Tony Martin in de tijdritten.
Maar als er een gat moet worden dichtgereden, ga je die jongens echt wel zien. Of even tien kilometer op kop beuken, dat
kan je rustig aan ze overlaten. Cavendish heeft het beter voor
elkaar dan vorig jaar bij Sky.

JOHN DEGENKOLB

BIOGRAFIE
Geboren Gera (Duitsland), 9 januari 1989
Ploeg Argos-Shimano
Erelijst 2 ritten Tour de l'Avenir (2010), 2 ritten Dauphiné Li-
béré (2011), 2 ritten en eindklassement Tour de Picardie
(2012), vijf ritten Vuelta (2012)
Tour de France –

BOOGERDS BLIK
Marcel Kittel kan misschien een rit winnen voor Argos-Shimano, maar ik geloof nooit dat hij de Tour uitrijdt. Voordat ze
voet op het Franse vaste land hebben gezet, staat hij misschien
al op drie kwartier achterstand. Dan schat ik John Degenkolb
van die ploeg hoger in voor het groen, als hij dit jaar wel de
Tour gaat rijden. Hij heeft vorig jaar in de Vuelta bewezen dat

hij een grote ronde kan uitrijden, en succesvol ook, met zijn vijf ritzeges. Sterke renner, die ook dit voorjaar weer bewees dat hij het klassieke werk aankan. Bergop gaat Degenkolb langer mee dan de pure sprinters Cavendish, Greipel en Kittel. Maar vijf ritzeges in de Vuelta is nog iets anders dan winnen in de Tour. Als je daar vijf ritten wil winnen, moet je van het kaliber Cavendish zijn.

ANDRÉ GREIPEL

BIOGRAFIE
Geboren Rostock (Duitsland), 16 juli 1982
Ploeg Lotto-Belisol
Erelijst 4 ritten en eindklassement Tour Down Under (2008), rit Giro (2008), 4 ritten en puntenklassement Vuelta (2009), 3 ritten en eindklassement Tour Down Under (2010), rit Giro (2010), 3 ritten Tour Down Under (2012), drie ritten Tour Down Under (2013)
Tour de France 156e en rit (2011), 123e en 3 ritzeges (2012)

BOOGERDS BLIK
André Greipel is de grootste uitdager van Mark Cavendish in de sprints. Vorig jaar wonnen ze allebei drie ritten in de Tour. Greipel wint al jarenlang overal massasprints. Bij Lotto-Belisol heeft hij een sterke ploeg. Jurgen Van den Broeck en Jelle Vanendert voor de bergen, de rest rijdt voor de sprints van Greipel. In Gent-Wevelgem en de Ronde van Vlaanderen toonde Greipel zich voorin, maar voor de groene trui komt hij in mijn ogen net iets tekort. Hij gaat het bergop zwaar hebben, zwaarder nog dan de anderen die voor het groen rijden. Volgens mij is het voor hem ook geen duel tegen Cavendish om die trui. Het gaat bij hen altijd meer om het aantal ritzeges.

PETER SAGAN

BIOGRAFIE
Geboren Zilina (Slowakije), 26 januari 1990
Ploeg Liquigas-Cannondale
Erelijst Slowaaks kampioen weg (2011), 2 ritten en eindklassement Ronde van Polen (2011), 3 ritten Vuelta (2011), 5 ritten Ronde van Californië (2012), 4 ritten Ronde van Zwitserland (2012), Slowaaks kampioen weg (2012), 2 ritten Tirreno (2013), Gent-Wevelgem (2013)
Tour de France 43e, 3 ritten en groene trui (2012)

BOOGERDS BLIK
Peter Sagan is voor mij de grootste kanshebber op de groene trui. Vorig jaar was hij al ijzersterk, dit jaar heeft hij zich opnieuw verbeterd. Hij heerst en verdeelt. Als rittenkaper en in de eendagswedstrijden, overal kan hij winnen. Zelfs bergop zit hij steeds langer mee met de besten. Zo overstijgt hij zo nu al langzamerhand de klasse van mijn vroegere ploeggenoot Óscar Freire. Terwijl die in de bergen lang kon meezitten als hij zich kwaad maakte. Zo won hij ook het groen in 2008. Sagan won vorig jaar drie ritten. En toen liet hij ook al zien dat hij kon klimmen, in de bergrit die Luis León Sánchez won. Zat meneer gewoon even mee. Dit jaar reed hij in de Tirreno met Vincenzo Nibali over de steilste klimmetjes in de koninginnenrit. En in de klassiekers hoorde hij tot de allerbesten. Een grootheid, deze Sagan.

FAVORIETEN BOLLETJESTRUI

BOOGERDS BLIK

Als jochie vond ik het vroeger voor de tv mooi als er een massasprint werd gereden. Dan keek je voor het tactische spel alleen de laatste vijf minuten. Maar nog liever had ik een mooie bergrit. Dan keek ik de hele dag. Je zag die renners lijden en afzien. Dat sprak mij het meeste aan. Eerst had je Zoetemelk en Kuiper, toen ook Winnen en Van der Velde. En weer later Rooks en Theunisse in de bergen, daar kon ik echt reikhalzend naar uitkijken. Je wist van tevoren al dat ze voorin zouden zitten en strijd gingen leveren. Die twee waren de laatste gevleugelde klimmers van Nederland, die de bergritten in de Tour kleurden en de bollentrui wonnen.

In die tijd won de beste klimmer nog gewoon de bollentrui. Lucien Van Impe zes keer. Lucho Herrera, Claudio Chiappucci, dat soort mannen verwachtte je voor het bergklassement. Zo'n Herrera werd in elke vlakke rit gelost, maar in de bergen wist je het al. Die mannen gingen weer spektakel maken en wisten altijd wel een mooie bergetappe te winnen. Gek eigenlijk dat Marco Pantani de bollentrui nooit heeft gehad. Van hem wist je ook van tevoren al dat hij in de bergen altijd vol in de aanval ging.

Rooks en Theunisse konden ook mooie bergritten winnen. Toen Theunisse die beroemde solo reed, in 1989 door de Alpen, zat ik zelf bij een criterium in Groesbeek. Ik was eerstejaars junior, net terug van het WK in Moskou. M'n pa had nog geen bouwvak, dus ik ging met mijn moeder naar de koers. Een avondcriterium, lastig, bloedheet was het die dag. We zaten in de auto vanuit Den Haag met Radio Tour aan. Theunisse was op weg naar de ritzege op Alpe d'Huez, ik wilde per se weten hoe het afliep. Ik heb me toen in de auto verkleed. 'Mike, je moet nu echt naar de start,' riep m'n moeder. Maar ik heb echt tot het laatst zitten wachten om te kunnen horen dat hij won.

Ik reed dat criterium nog goed ook, was die avond de man van de wedstrijd. Geïnspireerd door Gert-Jan Theunisse. In de warmte speelde je een beetje dat je klimmertje was. Ik bleef maar aanvallen. Dat was een goeie dag. Later heb ik zo'n gevoel nog eens gehad, toen Gianni Romme in 1998 in Nagano de tien kilometer won. Bleef ik ook tot het laatst bij de radio en werd ik geïnspireerd tot een mooie trainingskoers. Apart. Wielrennen was inmiddels mijn werk, maar ik kon wel degelijk nog geïnspireerd raken door prestaties van anderen. Dat kon voetbal zijn, schaatsen, andere wielrenners. In een soort flow kwam je dan.

Zelf heb ik één keer virtueel de bollentrui gehad, in een rit naar Tours in 2005. Erik Dekker pakte in de finale nog wat punten en kreeg die trui toen in mijn plaats. Een jaar later had ik misschien voor het bergklassement kunnen gaan. Ik reed best wel oké in de eerste bergrit, die Denis Mensjov uiteindelijk won op Pla de Beret. Zelf had ik die dag goede benen. Maar die moest ik bovenop overal stilhouden. 'Ho, ho,' riep Rasmussen dan. En ik liet hem er nog langs ook, met mijn stomme kop. Zo gewoon was het dat hij die bollentrui zou pakken, dat had hij het jaar ervoor ook gedaan. Maar later die dag zag ik het klassement. Verdomme, ik had die trui kunnen hebben.

De dag erna was het weer sprinten voor de punten. Rasmussen speelde het zo dat hij iedere klim in de laatste kilometer zei: 'Ga maar, Boogie.' Moest ik voor hem de sprint aantrekken. Tot we een rit kregen naar Gap, en ik uit het vertrek demarreerde. Ik was als eerste boven op de eerste klim, van tweede categorie. Daardoor pakte ik ineens een sloot punten. In de finale demarreerde ik nog voor de ritwinst. Weer punten. Maar dat was tegen het zere been van onze Deense kopman. Ineens stond ik bijna gelijk met hem.

's Avonds kwam hij bij mij op de kamer. 'Ik heb in mijn contract een clausule over die trui,' zei Rasmussen. Het zou hem zoveel geld kosten als hij de bollentrui niet pakte. Zo was hij, gewoon op je gevoel spelen. Breuk kwam ook bij me op de kamer, het werd een heel issue. Omdat Mensjov zo goed reed voor het algemeen klassement, moest de bollentrui geen doel worden waardoor er stress in de ploeg zou komen. Eigenlijk werd me toen vriendelijk doch dringend verzocht om afstand te doen van het bergklassement.

Het zou er ook raar uitzien als twee renners van één ploeg voor die trui gingen rijden. Dus ik heb het idee laten varen. Maar ik weet nog goed dat 's avonds Adri van Houwelingen me op de kamer belde. 'Je gaat toch zeker niet die bollentrui laten lopen?' Gerrie van Gerwen belde ook. 'Boogerd rij nou voor die trui jongen, dat gaat je geld opleveren in de criteriums, veel meer dan een etappewinst.' Achteraf heb ik wel spijt dat ik het gevecht niet ben aangegaan. Ik had graag een keer die bollentrui aangetrokken. Maar op dat moment dacht ik anders: 'Wat is mij al dat gezeik waard?' Ik had sowieso een hekel aan strijd in de ploeg. En ik was de dagen daarna ook niet meer zo goed.

De laatste jaren is de strijd om de bollentrui veel tactischer geworden. Een keertje meezitten in een ontsnapping en in de volgende ritten op de eerste cols zorgen dat je steeds de punten pakt. Dat is begonnen met Laurent Jalabert, die op zo'n manier het bergklassement ging winnen. Hij ging zijn punten halen op de eerste bergen. Voorin meezitten in de bergetappes was niet meer genoeg. Je moest echt voor die trui koersen, er vol voor gaan. En dan maar op de koop toe nemen dat je aan het einde van de rit gelost werd. Richard Virenque heeft hem zo een paar keer gewonnen. En een paar jaar geleden won ene Charteau die trui. Nooit meer wat van gehoord.

Hoewel je de laatste jaren op de slotklim wel dubbele punten krijgt, zijn het nog steeds de vroege aanvallers die de bollentrui pakken. Moeilijk te voorspellen. Wie krijgt er ruimte? Als je een paar keer meezit in een ontsnapping doe je mee voor die trui. In het begin is het een gevecht om elk puntje, net of je naar een massasprint toe rijdt. Dan valt het in een plooi en is het hooguit nog een strijd tussen een paar man. Vorig jaar had je Fredrik Kessiakoff, die zo ineens volle bak meedeed voor de bollentrui. Ook dit jaar zal je zeker weer zo'n renner hebben. Je hebt wat jonge gasten die ineens goed rijden. Andrew Talansky van Garmin viel me op in Parijs-Nice, een licht mannetje met inhoud. En er zijn weer een paar Colombianen die goed meedoen: Nairo Quintana viel me vorig jaar al op in de Vuelta en hij won dit jaar Baskenland. En bij Sky heb je Sergio Henao en Rigoberto Uran.

Johnny Hoogerland heeft het in 2011 geprobeerd, hij droeg een paar dagen die trui en zat er dichtbij. Maar hij had pech met die val in het prikkeldraad. Veertig hechtingen, daar knap je niet van op. Toen werd het te moeilijk om de bolletjestrui te pakken. Je moet elke keer voor de meute weg zijn. Als jij het drie keer probeert en ze kletsen er de vierde keer vol vandoor, sta je met lege handen voor die bergtrui. En je wordt later in de rit nog gelost ook. Daar gaan je punten. Maar het was moedig van Johnny dat hij het probeerde. Het kan de manier zijn om een mooie prijs te pakken.

Iedereen roept het nu over Robert Gesink, dat hij voor de bollentrui moet gaan. Ik denk dat niet. Niet omdat hij geen goede klimmer is, hij is juist een van de betere klimmers. Maar hij is niet het type dat zijn wedstrijd kan afstemmen op die trui. Zijn manier van koersen is er niet voor gemaakt. Hij is meer een renner die zo lang mogelijk bij de grote mannen moet blijven. Zo kan hij een kort klassement rijden.

Een renner als Bauke Mollema lijkt me meer geschikt voor

het bergklassement. Hij heeft als voordeel dat hij redelijk rap kan aankomen op een col. Soms is dat gesprint om die bollentrui net een aankomst. En twee jaar geleden pakte hij in de Vuelta niet voor niets de puntentrui. Tweehonderd meter volle bak spurten tegen een klim aan, Mollema kan dat misschien net even iets beter dan Gesink.

Thomas Voeckler heeft de trui vorig jaar gewonnen, die wil dat weer. Maar of het hem lukt? De Tour van dit jaar is veel zwaarder, met lastige aankomsten bergop. Misschien wordt het dit jaar wel weer iemand uit de top van het klassement. Een beetje zoals Sammie Sánchez in 2011. Of iemand die na de Pyreneeën een kruis kan maken over zijn podiumkansen, maar wel goed genoeg is om mee te gaan in de Alpen. Vincenzo Nibali zou een kandidaat kunnen zijn. Vorig jaar reed hij een heel goede Tour in de bergen en eindigde op het podium in Parijs. Wiggins en Froome waren sterker. Sky gunt Nibali dit jaar misschien een extra prijs, zoals de bollentrui.

PLOEGEN

AG2R-LA MONDIALE (ALM)

ACHTERGROND
Land Frankrijk
Sponsor Verzekeringsmaatschappij
Fiets Focus
Ploegleiding Vincent Lavenu (manager), Gilles Mas, Artūras Kasputis, Julien Jurdie, Laurent Biondi, Didier Jannel (ploegleiders)
UCI-ranking 2012 17
Renners 29 (9 nationaliteiten)
Website www.AG2R-cyclisme.com

TOPRENNERS
AG2R-La Mondiale versterkte zich dit seizoen met de Franse routinier Samuel Dumoulin, de Italiaanse klimmer Domenico Pozzovivo en het Colombiaanse talent Carlos Betancur, die in 2011 de Giro dell'Emilia won en in 2012 een rit in de Ronde van België. Verder beschikt de ploeg over klassementsrenners John Gadret (in 2011 vierde in de Giro) en Jean-Christophe Péraud, al eens tiende in de Tour. Voor de sprints trok manager Vincent Lavenu de Wit-Rus Jaoeheni Hoetarovitsj aan, die tot en met 2012 al 23 wedstrijden op zijn naam schreef.

TOURHISTORIE

Vier ritzeges voor de Est Jaan Kirsipuu (1999, 2001, 2003, 2004), een voor Sylvain Calzati (2006), Vladimir Efemkin (2008), Cyril Dessel (2008) en Christian Riblon (2010). Kirsipuu droeg zes dagen geel in 1999, Dessel een dag in 2009 en de Italiaan Rinaldo Nocentini acht dagen in 2009.

ARGOS-SHIMANO

ACHTERGROND

Land Nederland
Sponsor Oliemaatschappij, fietsonderdelen
Fiets Felt
Ploegleiding Iwan Spekenbrink (directeur), Rudi Kemna, Christian Guiberteau, Marc Reef, Addy Engels, Aike Visbeek (ploegleiders)
UCI-ranking 2012 – (Professional Continental Team als Skil-Shimano)
Renners 28 (12 nationaliteiten)
Website www.1t4i.com

TOPRENNERS

Directeur Iwan Spekenbrink heeft de Duitse topsprinters Marcel Kittel en John Degenkolb als grote troeven voor ritzeges in de Tour de France. Toen Kittel in de vorige Tour uitviel, toonde zijn vaste piloot Tom Veelers zich als sterke sprinter. Buiten de massasprints heeft de ploeg van Spekenbrink, dit jaar voor het eerst in de World Tour, weinig opties. Misschien kan de jonge Tom Dumoulin zich tonen.

TOURHISTORIE

Onder de naam Skil-Shimano kreeg de ploeg van directeur Iwan Spekenbrink in 2009 een wildcard voor de Tour. De ploeg kwam eigenlijk nog wat kwaliteit tekort, maar viel wel op met een aanvallende manier van rijden. Sprinter Kenny van Hummel, inmiddels vertrokken naar Vacansoleil, trok veel aandacht met zijn lijdensweg in de bergen.

ASTANA PRO TEAM

ACHTERGROND
Land Kazachstan
Sponsor Kazachstaans bedrijvenconsortium
Fiets Specialized
Manager Aleksandr Vinokoerov
Ploegleiding Giuseppe Martinelli (eerste ploegleider), Alexander Shefer, Stefano Zanini, Dmitri Sedoen, Gorazd Štangelj, Jaan Kirsipuu, Sergej Jakovlev, Dmitri Fofonov (ploegleiders)
UCI-ranking 2012 10
Renners 29 (10 nationaliteiten)
Website www.proteam-astana.com

TOPRENNERS
Manager Aleksandr Vinokoerov, gestopt na zijn olympische titel in Londen, versterkte zijn ploeg aanzienlijk. Met Vincenzo Nibali haalde hij de nummer drie uit de Tour van vorig jaar als absolute kopman. Ook de Deen Jakob Fuglsang lijkt een versterking. En Astana beschikte verder over de Tsjech Roman Kreuziger en de Sloveen Janez Brajkovič. Enrico Gasparotto (Amstel Gold Race) en Maksim Iglinsky (Luik-Bastenaken-Luik) wonnen vorig seizoen al eens een zware klassieker.

TOURHISTORIE
In 2007 trok de Kazachstaanse ploeg zich terug na een dopingaffaire rond kopman Aleksandr Vinokoerov. Onder de nieuwe leiding van ploegleider Johan Bruyneel mocht Astana in 2008 niet meedoen. Een jaar later won Alberto Contador voor Astana de Tour, net als in 2010. De laatste zege werd hem

in 2011 alsnog ontnomen wegens een positieve dopingtest. Astana behaalde vier ritzeges: in 2009 twee keer Contador en de ploegentijdrit, in 2010 Vinokoerov.

BLANCO PRO CYCLING TEAM

ACHTERGROND
Land Nederland
Sponsor Wielerproject
Fiets Giant
Ploegleiding Richard Plugge (manager), Nico Verhoeven (eerste ploegleider), Erik Dekker, Frans Maassen, Jeroen Blijlevens, Michiel Elijzen, Jan Boven (ploegleiders)
UCI-ranking 2012 8 (Rabobank)
Renners 29 (6 nationaliteiten)
Website www.rabosport.nl

TOPRENNERS
Rabobank stopte als sponsor, maar betaalde wel een topbudget voor dit seizoen. Van de Nederlandse klassementsrenners zetten Bauke Mollema en Laurens ten Dam alles op de Tour. Robert Gesink zal, bijgestaan door de jonge belofte Wilco Kelderman en Steven Kruijswijk, voorafgaand aan de Tour ook starten in de Giro. De Nederlandse Blanco's weten zich gesteund door de ervaren Spanjaarden Juan Manuel Gárate en Luis León Sánchez, en wie weet de Noorse aanwinst Lars Petter Nordhaug, die overkwam van Sky. Mark Renshaw, die jarenlang Marc Cavendish naar menige zege piloteerde, heeft genoeg ervaring in de massasprints.

TOURHISTORIE
De Deen Michael Rasmussen won voor Rabobank twee keer de bolletjestrui, in 2005 en 2006. Óscar Freire was in 2008 de beste in het puntenklassement. De ploeg won tot nu toe 24 rit-

ten in de Tour: Michael Boogerd (1996, 2002), Rolf Sørensen (1996), Léon van Bon (1998, 2000), Robbie McEwen (1999), Erik Dekker (drie in 2000, 2001), Marc Wauters (2001), Karsten Kroon (2002), Pieter Weening (2005), Michael Rasmussen (2005, 2006 en twee in 2007), Óscar Freire (twee in 2006, 2008), Denis Mensjov (2006), Juan Manuel Gárate (2009), Luis León Sánchez (2011 en 2012).

BMC RACING TEAM

ACHTERGROND
Land Verenigde Staten
Sponsor Fietsenmerk
Fiets BMC
Ploegleiding Jim Ochowicz (directeur), John Lelangue (manager), Fabio Baldato, Jackson Stewart, Yvon Ledanois, Maximiliam Sciandri (ploegleiders)
UCI-ranking 2012 7
Renners 26 (10 nationaliteiten)
Website www.bmcracingteam.com

TOPRENNERS
Geen spectaculaire aankopen dit jaar bij BMC. Cadel Evans kon vorig seizoen niet aanknopen bij zijn Tourzege van 2011, maar wil in de op papier zware Tour van dit jaar opnieuw kopman zijn. Achter hem staat Tejay van Garderen klaar. De jonge Amerikaan met Nederlandse roots eindigde vorig jaar als vijfde en won het jongerenklassement. Wereldkampioen Philippe Gilbert zal gaan voor ritzeges, net als de Noorse routinier Thor Hushovd.

TOURHISTORIE
BMC debuteerde in de Tour van 2010, toen Cadel Evans een dag de gele trui droeg, maar door een blessure op achterstand

raakte. Een jaar later pakte hij het geel in de voorlaatste etappe, een individuele tijdrit, en bracht het als eerste Australiër in de historie naar Parijs. Ook won Evans dat jaar een rit, op de Mûr-de-Bretagne. Vorig jaar was er geen ritwinst, wel de witte trui voor Tejay van Garderen.

CANNONDALE PRO CYCLING

ACHTERGROND
Land Italië
Sponsor Fietsenmerk
Fiets Cannondale
Ploegleiding Roberto Amadio (directeur), Dario Mariuzzo, Stefano Zannata, Mario Scirea, Alberto Volpi, Paolo Slongo, Biagio Conte (ploegleiders)
UCI-ranking 2012 3 (Liquigas-Cannondale)
Renners 28 (13 nationaliteiten)
Website www.cannondaleprocycling.com

TOPRENNERS
Zonder Vincenzo Nibali, die naar Astana vertrok, mist manager Roberto Amadio een echte kopman voor zijn Tourploeg. Zeker omdat routinier Ivan Basso voorafgaand aan het seizoen al aankondigde dat hij inzet op de Giro en de Vuelta. Klimmer Damiano Caruso (25) wordt uitgespeeld voor het algemeen klassement. Maar Cannondale zal zich vooral richten op dagsucces met de Slowaakse vedette Peter Sagan (23), vorig jaar al winnaar van drie ritten en de groene trui, en dit jaar vanaf Tirreno-Adriatico alleen maar sterker.

TOURHISTORIE
Vincenzo Nibali eindigde voor Liquigas in 2007 als zevende in Parijs, Roman Kreuziger in 2009 als negende en Ivan Basso in 2011 als achtste. Franco Pelizotti won het bergklassement in

2009. Een ritzege was er in 2007 dankzij Filippo Pozzato. Vorig jaar won Peter Sagan drie ritten en de groene trui. Kopman Vincenzo Nibali eindigde als derde in Parijs.

COFIDIS

ACHTERGROND
Land Frankrijk
Sponsor Bank
Fiets Look
Ploegleiding Yvon Sanguer (manager), Alain Deloeuil, Didier Rous, Stéphane Auge, Jean-Luc Jonrond (ploegleiders)
UCI-ranking 2012 – (Professional Continental Team)
Renners 25 (4 nationaliteiten)
Website www.equipe-cofidis.com

TOPRENNERS
Zonder de gestopte David Moncoutié is Rein Taaramäe de enige grote naam in de ploeg van Cofidis, in 1997 opgericht door de befaamde oud-renner en ploegleider Cyrille Guimard. De Est eindigde in de Tour van 2011 als twaalfde, maar kon aan die prestatie vorig jaar geen vervolg geven: zesendertigste.

TOURHISTORIE
In 1998 won Cofidis het ploegenklassement en de bergtrui (Christophe Rineiro), en eindigde de Amerikaanse kopman Bobby Julich als derde. Ritzeges waren er met Laurent Desbiens (1997), David Millar (2000, 2002 en 2003), Stuart O'Grady (2004), David Moncoutié (2004, 2005), Jimmy Casper (2006), Samuel Dumoulin (2008) en Sylvain Chavanel (2008).

EUROPCAR

ACHTERGROND
Land Frankrijk
Sponsor Autoverhuur
Fiets Colnago
Ploegleiding Jean-René Bernaudeau (manager), Dominique Arnould, Andy Flincklinger, Ismaël Mottier
UCI-ranking 2012 – (Professional Continental Team)
Renners 25 (6 nationaliteiten)
Website www.teameuropcar.com

TOPRENNERS
De afgelopen twee seizoenen bezorgden Thomas Voeckler en Pierre Rolland hun manager Jean-René Bernaudeau groot succes in de Tour de France. De Franse ploeg beschikt nog altijd niet over een licentie voor de World Tour en oogt in de breedte niet al te sterk. Maar met de 'nationale helden' Voeckler en Rolland is ook zonder zo'n licentie deelname aan de Tour verzekerd.

TOURHISTORIE
Onder de naam Bouygues Telecom waren er ritzeges voor Pierrick Fédrigo (2006, 2009 en 2010) en Thomas Voeckler (2009 en 2010), die in 2004 bovendien elf dagen geel droeg voor de ploeg van directeur Jean-René Bernaudeau. In 2011 droeg 'Titi' tien dagen geel en won Pierre Rolland een etappe en de witte trui. In 2012 won Rolland de rit naar La Toussuire. Voeckler won zelfs twee ritten, naar Bellegarde-sur-Valserine en Bagnères-de-Luchon. Ook pakte hij de bolletjestrui in Parijs.

EUSKALTEL-EUSKADI

ACHTERGROND
Land Spanje
Sponsor Telecomprovider en Baskisch ontwikkelingsbureau
Fiets Orbea
Ploegleiding Igor González de Galdeano (directeur), Gorka Gerrikagoitia (manager), Álvaro González de Galdeano, Iñaki Isasi (ploegleiders)
UCI-ranking 2012 13
Renners 29 (8 nationaliteiten)
Website www.eukalteleuskadi.com

TOPRENNERS
De ploeg van manager Igor González de Galdeano wil niet langer exclusief Baskisch zijn en trok een aantal nieuwe renners van buiten aan. Maar de kern van kopmannen blijft gelijk: Samuel Sánchez, Igor Antón en Mikel Nieve. Vooral in de Pyreneeën, voor eigen publiek, rijdt de oranje brigade doorgaans sterk. Gorka Izagirre zit regelmatig mee in ontsnappingen, zijn broertje Ion won vorig jaar een rit in de Ronde van Italië.

TOURHISTORIE
Drie ritzeges voor Euskaltel, een van de oudste ploegen van het profpeloton: in 2001 maakte de Bask Roberto Laiseka zich onsterfelijk met winst in de Pyreneeënrit naar Luz Ardiden. Iban Mayo was in 2003 de sterkste op de Alpe d'Huez. Vorig jaar won Samuel Sánchez, in 2010 al derde in het eindklassement, de rit naar Luz Ardiden. Ook pakte hij de bolletjestrui.

FDJ

ACHTERGROND
Land Frankrijk
Sponsor Loterij
Fiets Lapierre
Ploegleiding Marc Madiot (directeur), Thierry Bricaud, Martial Gayant, Yvon Madiot, Frank Pinot (ploegleiders)
UCI-ranking 2012 18
Renners 29 (4 nationaliteiten)
Website www.equipecyclistefdj.fr

TOPRENNERS
Volop Frans talent voor het rondewerk in de ploeg van manager Marc Madiot. Thibault Pinot won in 2012 op zijn tweeëntwintigste een rit in de Tour en eindigde als tiende in het klassement. Dit seizoen top vijf, zoals hij zelf wil? Arnold Jeannesson droeg in 2011 al eens de witte trui en eindigde als vijftiende. En van Argos-Shimano kwam de beloftevolle Alexandre Geniez over. Routinier Pierrick Fédrigo won in zijn carrière al vier ritten in de Tour.

TOURHISTORIE
Baden Cooke won bij FDJ de groene trui in 2003. De ploeg behaalde in veertien Tours in totaal negen ritzeges: Christophe Mengin (1997), Bradley McGee (2002 en 2003), Baden Cooke (2003), Sandy Casar (2007, 2009 en 2010), Pierrick Fédrigo (2012) en Thibault Pinot (2012).

GARMIN-SHARP

ACHTERGROND
Land Verenigde Staten
Sponsor Navigatiesystemen en elektronica

Fiets Cervélo
Ploegleiding Jonathan Vaughters (directeur), Johnny Weltz, Eric Van Lancker, Bingen Fernández, Geert Van Bondt, Charles Wegelius (ploegleiders)
UCI-ranking 2012 9
Renners 29 (12 nationaliteiten)
Website www.slipstreamsports.com

TOPRENNERS
De sterke Canadees Ryder Hesjedal won vorig seizoen de Giro en mikt nu op de Tour. De pas vierentwintigjarige Amerikaan Andrew Talansky werd vorig jaar zevende in de Vuelta en blonk dit voorjaar uit in Parijs-Nice. De kopmannen worden gesteund door een ervaren kern: Christian VandeVelde, Tom Danielson en David Zabriskie bekenden dopegebruik maar getuigden tegen hun voormalig US Postal-ploeggenoot Lance Armstrong, waardoor hun schorsing al in maart afliep. Routinier David Millar is een van de bazen van het peloton.

TOURHISTORIE
Sinds het Tourdebuut in 2008 slaagde ploegbaas Jonathan Vaughters er tot nu toe steeds in een renner in de top tien te krijgen. In 2009 won Thor Hushovd, nu vertrokken naar BMC, de puntentrui. In totaal boekte Garmin tot nu toe acht ritzeges: Hushovd (2009, 2010, twee in 2011), Heinrich Haussler (2009), Tyler Farrar (2011), de ploegentijdrit (2011) en David Millar (2012).

KATJOESJA TEAM

ACHTERGROND
Land Rusland
Sponsor Wielerproject
Fiets Canyon

Ploegleiding Vjatjeslav Ekimov (directeur), Valerio Piva, Mario Chiesa, Dmitri Konisjev, Claudio Cozzi, Torsten Schmidt, Gennadi Michajlov, Uwe Peschel, Michel Rich (ploegleiders)
UCI-ranking 2012 2
Renners 30 (9 nationaliteiten)
Website www.katushateam.com

TOPRENNERS

De Spaanse kopman Joaquim Rodríguez draagt de Russische ploeg van manager Vjatjeslav Ekimov, die zelf ooit uitkwam voor de ploegen van Peter Post, Jan Raas en Lance Armstrong. Na succes in de Giro en Vuelta vorig jaar, kan de mondiale nummer één van 2012 dit jaar wellicht aanknopen bij zijn sterke Tour van 2010. Routinier Denis Mensjov stond in datzelfde jaar in Rabo-shirt op het Tourpodium (derde).

TOURHISTORIE

Sergej Ivanov won in 2009 een rit voor de Russische ploeg. Een jaar later won Joaquim Rodríguez de rit naar Mende. Hij eindigde toen bovendien als achtste in het klassement, maar lijkt sindsdien meer gericht op Giro en Vuelta.

LAMPRE-MERIDA

ACHTERGROND
Land Italië
Sponsor Staalproducent, fietsenmerk
Fiets Merida
Ploegleiding Giuseppe Saronni (directeur), Orlando Maini, Fabrizio Bontempi, Sandro Lerici, Bruno Vicino, Mauricio Piovani (ploegleiders)
UCI-ranking 2012 14
Renners 26 (7 nationaliteiten)
Website www.teamlampremerida.com

TOPRENNERS

Elf nieuwe renners voor Lampre dit seizoen (onder wie Filippo Pozzato), twaalf renners weg. Maar voor de Tour de France heeft manager Giuseppe Saronni op het oog dezelfde troeven als de afgelopen jaren: de routiniers Damiano Cunego en wellicht Michele Scarponi voor het klassement, Alessandro Petacchi voor de sprints. Mogelijk verrassen de Colombiaanse klimmer Winner Anacona of kamikazesprinter Roberto Ferrari.

TOURHISTORIE

Twee keer behaalde de Italiaanse ploeg de groene trui: met het Oezbeekse sprintkanon Djamolidin Abdoesjaparov in 1993 en met Alessandro Petacchi in 2010. Damiano Cunego won in 2006 het jongerenklassement. In totaal waren er voor Lampre tot nu toe acht ritzeges: Abdoesjaparov (drie in 1993), Rubens Bertogliati (2002), Daniele Bennati (twee in 2007) en Alessandro Petacchi (twee in 2010).

LOTTO-BELISOL

ACHTERGROND

Land België
Sponsor Loterij en ramen- en deurenproducent
Fiets Ridley
Ploegleiding Marc Sergeant (manager), Herman Frison, Marc Wauters, Bart Leysen, Kurt Van de Wouwer, Jean-Pierre Heynderickx (ploegleiders)
Renners 28 (7 nationaliteiten)
UCI-ranking 2012 11
Website www.lottobelisol.be

TOPRENNERS

Manager Marc Sergeant trekt met vrijwel dezelfde ploeg naar de Tour de France als vorig jaar. Waarom zou hij veel veranderen? Jurgen Van den Broeck kan na zijn vierde plaats van vorig jaar op het podium mikken, geassisteerd door zijn trouwe adjudant Jelle Vanendert. Voor de sprints beschikt de Belgische ploeg over een absolute topper met de Duitser André Greipel. Vorig jaar nam hij ook in de Tour de horde Cavendish, en won drie ritten.

TOURHISTORIE

Met Omega Pharma als hoofdsponsor won de Belgische ploeg in 2006 de groene trui met Robbie McEwen. Cadel Evans werd tweede in de Tour van 2007 en 2008. Ritzeges waren er voor Robbie McEwen (drie in 2005, drie in 2006, 2007), Cadel Evans (2007), Philippe Gilbert (2011), Jelle Vanendert (2011) en André Greipel (2011, drie in 2012).

MOVISTAR

ACHTERGROND
Land Spanje
Sponsor Telecomprovider
Fiets Pinarello
Ploegleiding Eusebio Unzué (manager), José Luis Jaimerena, Alfonso Galilea, José Luis Arrieta, José Louis Laguia, José Vicente García Acosta
uci-ranking 2012 5
Renners 25 (8 nationaliteiten)
Website www.movistarteam.com

TOPRENNERS
Boegbeeld van Movistar blijft Alejandro Valverde, die na zijn schorsing van twee jaar vorig jaar sterk terugkeerde in Tour (ritwinst) en Vuelta (tweede in eindstand, drie ritzeges). In de Spaanse ronde viel ook de sterke Colombiaan Nairo Quintana op. Pas 23 jaar, 59 kilo licht. En de Portugees Rui Costa, vo-

rig jaar winnaar van de Ronde van Zwitserland, lijkt een troef voor manager Eusebio Unzué. Van Cannondale kwamen Eros Capecchi en Sylvester Szmyd, naar Sky vertrokken Vasil Kiryjenka en David López García.

TOURHISTORIE

Na de periode van Miguel Indurain, eindwinnaar van 1991 tot en met 1995, won deze Spaanse ploeg de Tour in 2006 met Óscar Pereiro (na diskwalificatie van Floyd Landis). De witte trui was er met Francisco Mancebo (2000), Denis Mensjov (2003) en Vladimir Karpets (2004). In 1999 werd de ploeg onder de naam Banesto eerste in het ploegenklassement. Ritzeges waren er sinds 1995 met Abraham Olano (1997), José Vicente García Acosta (2000), Pablo Lastras (2003), Alejandro Valverde (2005, twee in 2008), Luis León Sánchez (2008, 2009), Rui Costa (2011) en Alejandro Valverde (2012).

OMEGA PHARMA-QUICK STEP

ACHTERGROND

Land België
Sponsor Farmaceutisch bedrijf en laminaatvloeren
Fiets Specialized
Ploegleiding Patrick Lefevere (directeur), Rolf Aldag (sportief manager), Wilfried Peeters, Rik Van Slycke, Davide Bramati, Brian Holm, Jan Schaffrath, Tom Steels (ploegleiders)
Renners 29 (10 nationaliteiten)
UCI-ranking 2012 4
Website www.omegapharma-quickstep.com

TOPRENNERS

Topaankoop Mark Cavendish, die overkwam van Sky, is de absolute kopman voor de Tour de France in de ploeg van manager Patrick Lefevere. Sprintzeges en groene trui gaan boven het algemeen klassement, al zijn de Slowaak Peter Velits en Belg Kevin De Weert subtoppers. Tom Boonen en Sylvain Chavanel kunnen gaan voor ritzeges, de tijdritten zijn een doel voor wereldkampioen Tony Martin. Omega Pharma-Quick Step zal als regerend wereldkampioen zeker mikken op winst in de ploegentijdrit in Nice.

TOURHISTORIE

Richard Virenque won in 2004 het bergklassement in de ploeg van Patrick Lefevere, Tom Boonen was in 2007 de beste in het puntenklassement. In totaal behaalde de ploeg tot nu toe 16 ritzeges: Sylvain Chavanel (twee in 2010), Gert Steegmans (2007, 2008), Tom Boonen (twee in 2004, twee in 2005, twee in 2007), Matteo Tossato (2006), Cédric Vasseur (2004), Juan Miguel Mercado (2004), Richard Virenque (2003, 2004), Servais Knaven (2003)

ORICA GREENEDGE

ACHTERGROND

Land Australië
Sponsor Chemie, wielerproject
Fiets Scott
Ploegleiding Shayne Bannan (manager), Julien Dean, Lionel Marie, Vittorio Algeri, Lorenzo Lapage, Neil Stephens, Matthew Wilson (ploegleiders)
UCI-ranking 2012 6
Renners 28 (10 nationaliteiten)
Website www.greenedgecycling.com

TOPRENNERS

Vorig jaar viel het Tourdebuut tegen voor de ploeg van manager Shayne Bannan. Wel beschikt de eerste Australische World Tour-ploeg over twee winnaars van de klassieker Milaan-San

Remo: Matthew Goss (2011) en Simon Gerrans (2012). Zij zullen in de Tour gaan voor dagsuccessen, met ervaren ploeggenoten als Baden Cooke, Stuart O'Grady en Allan Davis. De Nederlanders Sebastian Langeveld en Pieter Weening (de laatste Nederlandse ritwinnaar in 2005) krijgen wellicht een vrije rol.

TOURHISTORIE
De eerste Australische ploeg in de geschiedenis van de Tour de France kon vorig jaar geen enkel succes bijschrijven.

RADIOSHACK-LEOPARD

ACHTERGROND
Land Luxemburg
Sponsor Elektronica, wielerproject
Fiets Trek
Ploegleiding Flavio Becca (directeur), Luca Guercilena (manager), Kim Andersen, Dirk Demol, Luc Meersman, Josu Larrazabal, José Azevedo, Alain Gallopin (ploegleiders)
Renners 28 (13 nationaliteiten)
UCI-ranking 2012 12
Website www.radioshackleopardtrek.com

TOPRENNERS
Het USADA-rapport over Lance Armstrong kostte Johan Bruyneel zijn plek als manager. De broers Fränk (schorsing wegens doping) en Andy Schleck (vormverlies) zijn in problemen. En toch beschikt RadioShack-Leopard nog over genoeg grote namen. Fabian Cancellara is het boegbeeld. De Duitse routiniers Andreas Klöden en Jens Voigt geven nog niet af, net zo min als Chris Horner. In het klassement hopen ook aanwinst Robert Kiserlovski, de Belg Maxime Montfort en de Portugees Tiago Machado een rol te spelen, net als de ervaren Spanjaard Haimar Zubeldia. Net als vorig jaar het ploegenklassement?

TOURHISTORIE

Bij het Tourdebuut van de ploeg in 2010, de laatste Tour van Lance Armstrong, won het Amerikaanse RadioShack meteen een etappe met de Portugees Sérgio Paulinho én het ploegenklassement. In 2011 was er geen succes voor manager Johan Bruyneel, die in andere ploegen met Lance Armstrong en Alberto Contador negen keer de Tour won. Vorig jaar was de Belgische oud-prof er zelf niet bij wegens dopingperikelen, maar RadioShack won wel voor de tweede keer het ploegenklassement.

SAXOBANK-TINKOFF

ACHTERGROND

Land Denemarken
Sponsor Deense en Russische bank
Fiets Specialized
Ploegleiding Bjarne Riis (directeur), Steven de Jongh, Dan Frost, Fabrizio Guidi, Tristan Hoffman, Philippe Mauduit, Lars Michaelsen (ploegleiders)
uci-ranking 2012 15
Renners 29 (14 nationaliteiten)
Website www.teamsaxotinkoff.com

TOPRENNERS

Alberto Contador keert na zijn schorsing van vorig jaar sterk omringd terug naar de Tour de France. De winnaar van de Vuelta 2012 beschikt met de aanwinsten Roman Kreuziger (van Astana), Michael Rogers (Sky) en Nicolas Roche (AG2R) over drie meesterknechten in de cols. Dankzij een Russische kapitaalinjectie van cosponsor Tinkoff oogt de ploeg van Bjarne Riis, met ook sprinter Daniele Bennati, een stuk beter dan vorig jaar. Toen redde routinier Chris Anker Sørensen de eer met de prijs voor de meest aanvallende renner in Parijs.

TOURHISTORIE

Carlos Sastre won de Tour in 2008, Andy Schleck kreeg na de schorsing van Alberto Contador de eindzege van 2010 toebedeeld. Hij won ook drie keer de witte trui, in 2008, 2009 en 2010. Laurent Jalabert won in de ploeg van Bjarne Riis (toen gesponsord door CSC) de bolletjestrui in 2001 en 2002. Ook het ploegenklassement werd gewonnen in 2001 en 2002. In totaal waren er 21 ritzeges: Laurent Jalabert (twee in 2001), Tyler Hamilton (2003), Jacob Piil (2003), Ivan Basso (2004), David Zabriskie (2005), Jens Voigt (2007), Fränk Schleck (2007, 2009), Fabian Cancellara (twee in 2007, 2008, 2009, twee in 2010), Carlos Sastre (2003, 2008), Kurt-Asle Arvesen (2008), Nicki Sørensen (2009), Andy Schleck (twee in 2010).

SKY PROCYCLING

ACHTERGROND
Land Groot-Brittannië
Sponsor Televisiestation
Fiets Pinarello
Ploegleiding David Brailsford (directeur), Sean Yates, Dan Hunt, Servais Knaven, Marcus Ljungqvist, Nicolas Portal (ploegleiders)
UCI-ranking 2012 1
Renners 27 (10 nationaliteiten)
Website www.teamsky.com

TOPRENNERS
Kan de Tour de France voor Team Sky nog succesvoller dan vorig seizoen? Met zeven bergritten lijkt het logisch om nu Chris Froome, nummer twee van vorig jaar, uit te spelen als kopman. Bradley Wiggins kiest in eerste instantie voor de Giro, maar misschien heeft de eerste Britse Tourwinnaar nog genoeg over voor een tweede grote ronde. Richie Porte was

vorig jaar een ijzersterke knecht in de cols en won dit voorjaar al Parijs-Nice. Geraint Thomas liet al goede dingen zien in de Tour en koos na de Spelen van Londen definitief voor de weg. En na het vertrek van Mark Cavendish is er meer ruimte voor Edvald Boasson Hagen om voor eigen kans te gaan. Opties genoeg voor manager David Brailsford.

TOURHISTORIE

Na een vrij onopvallend debuut in 2010 scoorde de Britse ploeg in 2011 met twee ritzeges voor Edvald Boasson Hagen. De Tour de France van vorig seizoen kleurde dankzij Sky totaal Brits. Drie ritzeges voor Mark Cavendish, twee voor Bradley Wiggins en één voor Chris Froome, plus de eindzege van Wiggins en de tweede plaats van Froome.

SOJASUN

ACHTERGROND

Land Frankrijk

Sponsor Bedrijf voor gas, water en elektriciteit, en voeding op basis van sojabonen

Fiets BH

Ploegleiding Stéphane Heulot (directeur), Nicolas Guille, Lylian Lebreton, Gilles Pauchard (ploegleiders)

UCI-ranking 2012 – (Professional Continental Team)

Renners 23 (2 nationaliteiten)

Website www.equipe-sojasun.com

TOPRENNERS

Met vrijwel uitsluitend jonge, Franse renners eindigde de ploeg van directeur Stéphane Heulot vorig jaar knap als eerste in de UCI Europe Tour, het op één na hoogste niveau. Brice Feillu – in 2009 in Andorra winnaar van een bergrit in de Tour – en Jonathan Hiver zijn de meest aansprekende namen van Sojasun, dat twee keer eerder de Tour reed.

TOURHISTORIE

Bij het Tourdebuut in 2011 trok Saur-Sojasun vooral aandacht met de veertiende plaats in het eindklassement van Jérôme Coppel. Vorig jaar was Sojasun op Vacansoleil-DCM na de minst verdienende ploeg in de Tour, met 11.480 euro.

VACANSOLEIL-DCM

ACHTERGROND

Land Nederland
Sponsor Campingketen en plantenvoeding
Fiets Bianchi
Ploegleiding Daan Luijkx (directeur), Hilaire Van der Schueren, Michel Cornelisse, Jean-Paul van Poppel, Charles Palmans, Bob De Knodder, Aart Vierhouten (ploegleiders)
UCI-ranking 2012 16
Renners 29 (10 nationaliteiten)
Website www.vacansoleildcm.com

TOPRENNERS

De dramatische val van Wout Poels verstoorde afgelopen Tour zijn dromen, maar met een tiende plaats in Tirreno-Adriatico liet de Limburgse klimmer al snel dit seizoen zien dat hij kan terugkeren op het allerhoogste niveau. Wellicht in de schaduw van de Belgische kopman Thomas De Gendt, die na zijn Giro-stunt op de Stevio in 2012 nu zijn pijlen richt op de Tour. Sprinter Grega Bole en allrounder Juan Antonio Flecha lijken goede aanwinsten. Een brede Nederlandse kern – onder anderen Johnny Hoogerland, Lieuwe Westra, Martijn Keizer, Rob Ruijgh – kan zich richten op etappesucces.

TOURHISTORIE

In 2011 debuteerde de ploeg van directeur Daan Luijkx in de Tour met een aanvallende manier van koersen. Johnny Hoo-

gerland droeg vijf dagen de bolletjestrui. Vorig jaar verdiende
de ploeg het minste prijzengeld van allemaal: 9720 euro.

STATISTIEKEN

DE GELE TRUI (ALGEMEEN KLASSEMENT)

JAAR	RENNER	LAND
1903	Maurice Garin	Frankrijk
1904	Henri Cornet	Frankrijk
1905	Louis Trousselier	Frankrijk
1906	René Pottier	Frankrijk
1907	Lucien Petit-Breton	Frankrijk
1908	Lucien Petit-Breton	Frankrijk
1909	François Faber	Luxemburg
1910	Octave Lapize	Frankrijk
1911	Gustave Garrigou	Frankrijk
1912	Odile Defraye	België
1913	Philippe Thys	België
1914	Philippe Thys	België
1919	Firmin Lambot	België
1920	Philippe Thys	België
1921	Léon Scieur	België
1922	Firmin Lambot	België
1923	Henri Pélissier	Frankrijk
1924	Ottavio Bottecchia	Italië
1925	Ottavio Bottecchia	Italië
1926	Lucien Buysse	België
1927	Nicolas Frantz	Luxemburg
1928	Nicolas Frantz	Luxemburg
1929	Maurice De Waele	België
1930	André Leducq	Frankrijk
1931	Antonin Magne	Frankrijk
1932	André Leducq	Frankrijk
1933	Georges Speicher	Frankrijk

1934	Antonin Magne	Frankrijk
1935	Romain Maes	België
1936	Sylvère Maes	België
1937	Roger Lapébie	Frankrijk
1938	Gino Bartali	Italië
1939	Sylvère Maes	België
1947	Jean Robic	Frankrijk
1948	Gino Bartali	Italië
1949	Fausto Coppi	Italië
1950	Ferdi Kubler	Zwitserland
1951	Hugo Koblet	Zwitserland
1952	Fausto Coppi	Italië
1953	Louison Bobet	Frankrijk
1954	Louison Bobet	Frankrijk
1955	Louison Bobet	Frankrijk
1956	Roger Walkowiak	Frankrijk
1957	Jacques Anquetil	Frankrijk
1958	Charly Gaul	Luxemburg
1959	Federico Bahamontes	Spanje
1960	Gastone Nencini	Italië
1961	Jacques Anquetil	Frankrijk
1962	Jacques Anquetil	Frankrijk
1963	Jacques Anquetil	Frankrijk
1964	Jacques Anquetil	Frankrijk
1965	Felice Gimondi	Italië
1966	Lucien Aimar	Frankrijk
1967	Roger Pingeon	Frankrijk
1968	Jan Janssen	Nederland
1969	Eddy Merckx	België
1970	Eddy Merckx	België
1971	Eddy Merckx	België
1972	Eddy Merckx	België
1973	Luis Ocaña	Spanje
1974	Eddy Merckx	België
1975	Bernard Thévenet	Frankrijk
1976	Lucien Van Impe	België
1977	Bernard Thévenet	Frankrijk
1978	Bernard Hinault	Frankrijk
1979	Bernard Hinault	Frankrijk
1980	Joop Zoetemelk	Nederland
1981	Bernard Hinault	Frankrijk

1982	Bernard Hinault	Frankrijk
1983	Laurent Fignon	Frankrijk
1984	Laurent Fignon	Frankrijk
1985	Bernard Hinault	Frankrijk
1986	Greg LeMond	vs
1987	Stephen Roche	Ierland
1988	Pedro Delgado	Spanje
1989	Greg LeMond	vs
1990	Greg LeMond	vs
1991	Miguel Indurain	Spanje
1992	Miguel Indurain	Spanje
1993	Miguel Indurain	Spanje
1994	Miguel Indurain	Spanje
1995	Miguel Indurain	Spanje
1996	Bjarne Riis	Denemarken
1997	Jan Ullrich	Duitsland
1998	Marco Pantani	Italië
1999	– *	
2000	– *	
2001	– *	
2002	– *	
2003	– *	
2004	– *	
2005	– *	
2006	Oscar Pereiro Sio**	Spanje
2007	Alberto Contador	Spanje
2008	Carlos Sastre	Spanje
2009	Alberto Contador	Spanje
2010	Andy Schleck***	Luxemburg
2011	Cadel Evans	Australië
2012	Bradley Wiggins	Groot-Brittannië

*	Lance Armstrong gediskwalificeerd
**	Floyd Landis gediskwalificeerd
***	Alberto Contador gediskwalificeerd

DE GROENE TRUI (PUNTENKLASSEMENT)

JAAR	RENNER	LAND
1953	Fritz Schaer	Zwitserland
1954	Ferdi Kubler	Zwitserland
1955	Stan Ockers	België
1956	Stan Ockers	België
1957	Jean Forestier	Frankrijk
1958	Jean Graczyk	Frankrijk
1959	André Darrigade	Frankrijk
1960	Jean Graczyk	Frankrijk
1961	André Darrigade	Frankrijk
1962	Rudi Altig	Duitsland
1963	Rik van Looy	België
1964	Jan Janssen	Nederland
1965	Jan Janssen	Nederland
1966	Willy Planckaert	België
1967	Jan Janssen	Nederland
1968	Franco Bitossi	Italië
1969	Eddy Merckx	België
1970	Walter Godefroot	België
1971	Eddy Merckx	België
1972	Eddy Merckx	België
1973	Herman van Springel	België
1974	Patrick Sercu	België
1975	Rik van Linden	België
1976	Freddy Maertens	België
1977	Jacques Esclassan	Frankrijk
1978	Freddy Maertens	Frankrijk
1979	Bernard Hinault	Frankrijk
1980	Rudy Pevenage	België
1981	Freddy Maertens	België
1982	Sean Kelly	Ierland
1983	Sean Kelly	Ierland
1984	Frank Hoste	België
1985	Sean Kelly	Ierland
1986	Eric Vanderaerden	België
1987	Jean-Paul van Poppel	Nederland
1988	Eddy Planckaert	België
1989	Sean Kelly	Ierland
1990	Olaf Ludwig	Duitsland
1991	Djamolidin Abdoesjaparov	Oezbekistan

1992	Laurent Jalabert	Frankrijk
1993	Djamolidin Abdoesjaparov	Oezbekistan
1994	Djamolidin Abdoesjaparov	Oezbekistan
1995	Laurent Jalabert	Frankrijk
1996	Erik Zabel	Duitsland
1997	Erik Zabel	Duitsland
1998	Erik Zabel	Duitsland
1999	Erik Zabel	Duitsland
2000	Erik Zabel	Duitsland
2001	Erik Zabel	Duitsland
2002	Robbie McEwen	Australië
2003	Baden Cooke	Australië
2004	Robbie McEwen	Australië
2005	Thor Hushovd	Noorwegen
2006	Robbie McEwen	Australië
2007	Tom Boonen	België
2008	Óscar Freire	Spanje
2009	Thor Hushovd	Noorwegen
2010	Alessandro Petacchi	Italië
2011	Mark Cavendish	Groot-Brittannië
2012	Peter Sagan	Slowakije

DE BOLLETJESTRUI (BERGKLASSEMENT)

JAAR	RENNER	LAND
1933	Vicente Trueba	Spanje
1934	René Vietto	Frankrijk
1935	Felicien Vervaecke	België
1936	Julian Berrendero	Spanje
1937	Félicien Vervaecke	België
1938	Gino Bartali	Italië
1939	Sylvère Maes	België
1947	Pierre Brambilla	Italië
1948	Gino Bartali	Italië
1949	Fausto Coppi	Italië
1950	Louison Bobet	Frankrijk
1951	Raphaël Geminiani	Frankrijk
1952	Fausto Coppi	Italië

1953	Jesús Loroño	Spanje
1954	Federico Bahamontes	Spanje
1955	Charly Gaul	Luxemburg
1956	Charly Gaul	Luxemburg
1957	Gastone Nencini	Italië
1958	Federico Bahamontes	Spanje
1959	Federico Bahamontes	Spanje
1960	Imerio Massignan	Italië
1961	Imerio Massignan	Italië
1962	Imerio Massignan	Italië
1963	Federico Bahamontes	Spanje
1964	Federico Bahamontes	Spanje
1965	Julio Jimenez	Italië
1966	Julio Jimenez	Italië
1967	Julio Jimenez	Italië
1968	Aurelio Gonzales	Spanje
1969	Eddy Merckx	België
1970	Eddy Merckx	België
1971	Lucien Van Impe	België
1972	Lucien Van Impe	België
1973	Pedro Torres	Spanje
1974	Domingo Perurena	Spanje
1975	Lucien Van Impe	België
1976	Giancarlo Bellini	Italië
1977	Lucien Van Impe	België
1978	Mariano Martinez	Frankrijk
1979	Giovanni Battaglin	Italië
1980	Raymond Martin	Frankrijk
1981	Lucien Van Impe	België
1982	Bernard Vallet	Frankrijk
1983	Lucien Van Impe	Frankrijk
1984	Robert Millar	Groot-Brittannië
1985	Luis Herrera	Colombia
1986	Bernard Hinault	Frankrijk
1987	Luis Herrera	Colombia
1988	Steven Rooks	Ierland
1989	Gert-Jan Theunisse	Nederland
1990	Thierry Claveyrolat	Frankrijk
1991	Claudio Chiappucci	Italië
1992	Claudio Chiappucci	Italië
1993	Tony Rominger	Zwitserland

1994	Richard Virenque	Frankrijk
1995	Richard Virenque	Frankrijk
1996	Richard Virenque	Frankrijk
1997	Richard Virenque	Frankrijk
1998	Christophe Rinero	Frankrijk
1999	Richard Virenque	Frankrijk
2000	Santiago Botero	Colombia
2001	Laurent Jalabert	Frankrijk
2002	Laurent Jalabert	Frankrijk
2003	Richard Virenque	Frankrijk
2004	Richard Virenque	Frankrijk
2005	Michael Rasmussen	Denemarken
2006	Michael Rasmussen	Denemarken
2007	Juan Mauricio Soler	Colombia
2008	Bernhard Kohl	Oostenrijk
2009	Franco Pellizotti	Italië
2010	Anthony Charteau	Frankrijk
2011	Samuel Sánchez	Spanje
2012	Thomas Voeckler	Frankrijk

DE WITTE TRUI (JONGERENKLASSEMENT)

JAAR	RENNER	LAND
1975	Francesco Moser	Italië
1976	Henrique Martinez-Heredia	Spanje
1977	Dietrich Thureau	Duitsland
1978	Henk Lubberding	Nederland
1979	Jean-René Bernaudeau	Frankrijk
1980	Johan van der Velde	Nederland
1981	Peter Winnen	Nederland
1982	Phil Anderson	Australië
1983	Laurent Fignon	Frankrijk
1984	Greg LeMond	VS
1985	Fabio Parra	Colombia
1986	Andy Hampsten	VS
1987	Raúl Alcalá	Mexico
1988	Erik Breukink	Nederland
1989	Fabrice Philipot	Frankrijk
1990	Gilles Delion	Frankrijk

1991	Álvaro Mejía	Colombia
1992	Eddy Bouwmans	Nederland
1993	Antonio Martin Velasco	Spanje
1994	Marco Pantani	Italië
1995	Marco Pantani	Italië
1996	Jan Ullrich	Duitsland
1997	Jan Ullrich	Duitsland
1998	Jan Ullrich	Duitsland
1999	Benoît Salmon	Frankrijk
2000	Francisco Mancebo	Spanje
2001	Oscar Sevilla	Spanje
2002	Ivan Basso	Italië
2003	Denis Mensjov	Rusland
2004	Vladimir Karpets	Rusland
2005	Jaroslav Popovytsj	Oekraïne
2006	Damiano Cunego	Italië
2007	Alberto Contador	Spanje
2008	Andy Schleck	Luxemburg
2009	Andy Schleck	Luxemburg
2010	Andy Schleck	Luxemburg
2011	Pierre Rolland	Frankrijk
2012	Tejay van Garderen	vs

BIBLIOGRAFIE

BOEKEN

Jacob Bergsma, Joop Holthausen en Peter Ouwerkerk, *Joop Zoetemelk. Een open boek* (Amsterdam, 2011)

Guido Bindels, *Tourglorie* (Leeuwarden, 2010)

Raymond Keckhoffs en Robert Janssens, *Triomf en tragiek op de Tourcols* (Den Haag, 2003)

Teus Korporaal, *Tour de France monumenten. Zo blijft de herinnering* (Raalte, 2010)

L'Équipe, *Tour de France 100 ans (1903-2003)* (Parijs, 2002)

Jean Nelissen, *De bijbel van 101 jaar Tour* (Amsterdam, 2004)

Peter Ouwerkerk, Wilfried de Jong en Jacob Bergsma, *In koers!* (Amstelveen, 2006)

Peter Ouwerkerk, *Rini Wagtmans, van straatjongen tot ridder* (Breda, 2006)

Peter Ouwerkerk, Hans-Jürgen Nicolaï, Vincent Luyendijk, *Het grote Tourboek* (Amsterdam, 2009)

Maarten Scholten, *Boogie. De officiële biografie van Michael Boogerd* (Nieuwegein, 2007)

Bert Wagendorp, Leo van der Ruit, Frans van Schoonderwalt e.a., *Tussen Bordeaux en Alpe d'Huez, Nederland in 100 jaar Tour de France* (Weert, 2003)

Jeroen Wielaert, *Het Frankrijk van de Tour* (Amsterdam, 2010)

KRANTEN EN TIJDSCHRIFTEN

NRC Handelsblad, Sport International, L'Équipe, de Volkskrant, De Telegraaf, Algemeen Dagblad, Trouw, NU*sport Procycling, Wielerrevue, Wielerland Magazine*

WEBSITES

letour.fr, climbbybike.com, cyclingnews.com, wielerland.nl, wikipedia.nl, veloarchive.com, memoires-du-cyclisme.net

VERANTWOORDING

De volgende stukken werden uit de *Røff guide til Tour de France 2012* van de Noorse auteurs Johan Kaggestad en Hans Petter Bakketeig (Schibsted Forlag, Oslo 2012) vertaald:

p. 18 ('Reserve'), 26 ('De media'), 29 ('Teamsport'), 37 ('Vallen'), 50 ('Nieuwe landen'), 64 ('Parvenu uit Pau'), 70 ('Protest'), 72 ('De langste etappe ooit'), 72 ('Manchester United van de wielersport'), 81 ('Tricolore'), 82 ('Bjarne Riis'), 112 ('Dronken'), 117 ('Paardenstaart'), 130 ('Hongerklop'), 136 ('Aussies'), 140 ('Laurent Fignon')

De vertaling is van de hand van Maud Jenje en Neeltje Wiersma.